MONTRÉAL ET LA BOMBE

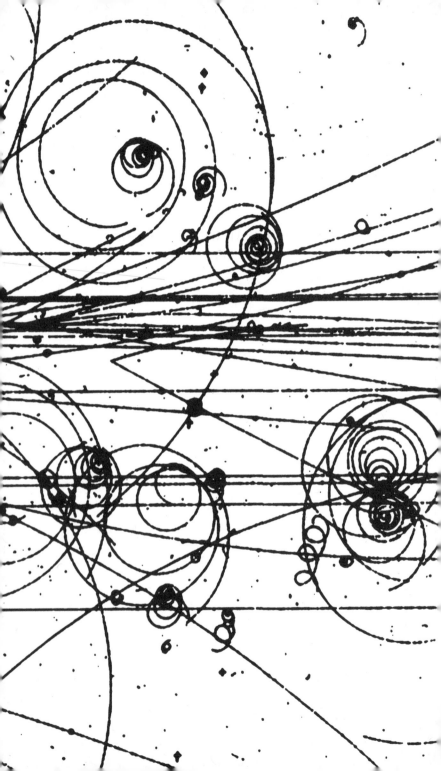

Gilles Sabourin

Montréal et la BOMBE

SEPTENTRION

Pour effectuer une recherche libre par mot-clé à l'intérieur de cet ouvrage,
rendez-vous sur notre site Internet au www.septentrion.qc.ca

Les éditions du Septentrion remercient le Conseil des Arts du Canada et la
Société de développement des entreprises culturelles du Québec (SODEC)
pour le soutien accordé à leur programme d'édition, ainsi que le gouvernement
du Québec pour son Programme de crédit d'impôt pour l'édition de livres.

 Canada

Illustration de la couverture : « Lew Kowarski, Hans Halban et Frédéric Joliot-
Curie utilisent un compteur Geiger dans un laboratoire », Institut du radium,
Archives visuelles Emilio Segrè, American Institute of Physics.
Direction éditoriale : Sylvain Lumbroso
Coordination éditoriale : Marie-Michèle Rheault
Révision : Karen Dorion-Coupal
Mise en pages et maquette de couverture : Pierre-Louis Cauchon

Si vous désirez être tenu au courant des publications
des éditions du Septentrion,
vous pouvez nous écrire par courrier,
par courriel à info@septentrion.qc.ca,
ou consulter notre catalogue sur Internet :
www.septentrion.qc.ca

Diffusion au Canada :
Diffusion Dimedia
539, boul. Lebeau
Saint-Laurent (Québec)
H4N 1S2

Dépôt légal :
Bibliothèque et Archives
nationales du Québec, 2020
ISBN papier : 978-2-89791-187-4
ISBN pdf : 978-2-89791-189-8
ISBN epub : 978-2-89791-190-4

Ventes en Europe :
Distribution du Nouveau Monde
30, rue Gay-Lussac
75005 Paris

Avant-propos

Ce livre est le fruit d'un travail de longue haleine. Depuis des années je collige toute l'information que je peux trouver sur le Laboratoire de Montréal et les personnes qui y ont travaillé. J'ai ainsi trouvé des renseignements sur plus de 400 employés du Laboratoire.

J'ai pu retrouver quelques personnes toujours vivantes qui étaient au Laboratoire de Montréal pendant la Seconde Guerre mondiale. J'ai même eu la chance de pouvoir en rencontrer deux et de les interviewer, soit mesdames Alma Chackett, chimiste, et Joan Wilkie-Heal, calculatrice. J'ai aussi été en contact avec une trentaine de personnes dont les parents ont travaillé au Laboratoire de Montréal. Tout ce beau monde a été d'une très grande générosité et m'a fourni quantité de documents, photos et témoignages sur le travail au quotidien du Laboratoire. En particulier le journal de bord de Hans Halban, le premier directeur du Laboratoire, gracieusement fourni par son fils Philippe Halban, a été d'une aide exceptionnelle.

Je travaille moi-même dans le nucléaire comme ingénieur spécialisé dans la sûreté des centrales, ce qui, je crois, m'a donné une perspective et des connaissances spécifiques pour apprécier à leur juste valeur les travaux effectués à Montréal durant la guerre.

J'ai abondamment utilisé les archives nationales du Royaume-Uni et du Canada, qui contiennent une masse d'informations sur le Laboratoire de Montréal. J'ai lu et utilisé un bon nombre de rapports parmi les 600 produits durant la guerre par le projet et qui sont aux archives à Kew Gardens, Londres, et accessibles en version électronique. Les livres de la bibliographie m'ont également été d'une grande aide.

Ce sont ces sources qui ont permis de reconstituer l'histoire que voici.

Introduction

C omme tous les soirs de sa vie, le premier ministre du Canada, William Lyon Mackenzie King, s'approche de son bureau pour dicter son journal personnel à son secrétaire. On ne change pas une habitude qui dure depuis des décennies, même en pleine Seconde Guerre mondiale. L'entrée de ce 6 août 1945 risque de prendre plusieurs pages dactylographiées. Il faut raconter cette journée commencée normalement à traiter des affaires de politique intérieure, mais il faut surtout évoquer ce moment crucial qui à coup sûr va marquer l'histoire.

Sur une simple note d'un ministre, Mackenzie King a en effet appris le premier largage d'une bombe nucléaire sur une ville japonaise. Une fois passé l'effet de sidération produit par une telle annonce, le premier ministre du Canada, pays engagé aux côtés des Alliés, évoque l'espoir étrange porté par cette explosion : « Naturellement, cette nouvelle fut la source de sentiments contradictoires dans mon esprit et dans mon cœur. Nous étions maintenant tout près de la fin de la guerre au Japon. » Mackenzie King souhaite ardemment que cette destruction massive de vies humaines soit la dernière, celle qui clôturera définitivement le douloureux épisode du conflit avec le Japon, ouvert pour le Canada en 1941. Il songe avec effroi au scénario inverse, où les scientifiques allemands auraient remporté la course à la bombe. Il évoque carrément l'anéantissement de la « race anglaise » que cette catastrophe aurait engendré.

L'homme en profite aussi pour reconnaître l'exploit scientifique que les Américains viennent de signer. Après tout, il est bien placé pour savoir que l'atome n'est pas facile à dompter. Son pays accueille depuis deux ans un laboratoire, qui planche sur le sujet, bien caché dans la ville de Montréal. Il couche sur son journal la satisfaction d'avoir réussi à protéger le secret du projet nucléaire, mais scrute de près certains Alliés… Il écrit ainsi : « Je suis préoccupé par la réaction des Russes, car ils ne savaient rien de cette invention ou de ce que les Anglais et les Américains étaient en train de faire afin d'explorer et de perfectionner cette technique. »

Si Mackenzie King a bien conscience des enjeux liés à la bombe atomique grâce à ses ramifications montréalaises, il ignore certains épisodes qui se sont joués dans son propre pays. Il faut dire que l'aventure atomique de Montréal est une histoire riche en rebondissements…

La genèse du laboratoire

L'arrivée de Hans Halban à Montréal

Quand on débarque à Montréal en 1942 pour travailler sur un projet de bombe atomique anglaise, mieux vaut ne pas passer pour un nazi! Cette réflexion a dû hanter Hans von Halban, le premier homme à diriger ce projet pharaonique. Avec un nom à consonance germanique et un léger accent allemand, le physicien a amèrement regretté le choix de son grand-père. Au début du siècle, ce haut fonctionnaire de l'Empire austro-hongrois a rallongé son nom de famille d'origine. La particule «von», qui désigne les nobles et renforce le côté «germanique», lui a été offerte par l'empereur lui-même. Ironie du destin, quelques décennies plus tard, son petit-fils choisira de ne pas garder cet attribut, pour cette fois atténuer son origine de noble autrichien. Hans Halban arrive dans la plus grande ville du Canada, au début du mois de novembre 1942, bien conscient des enjeux à venir.

C'est un homme au regard direct, au front haut et de taille moyenne. Très à l'aise socialement, il est charmeur et sûr de lui. Il a beau être né en Allemagne en 1908, il parle bien français et anglais. Autant de caractéristiques nécessaires pour accomplir une mission périlleuse: Hans Halban doit bâtir de toutes pièces un laboratoire de physique nucléaire à Montréal. La traversée de l'Atlantique lui a laissé le temps de mûrir son projet : il est venu à bord d'un hydravion circulant à basse altitude[1]. Une malformation du cœur l'empêche de supporter les basses pressions des avions classiques qui volent en hauteur. Cette façon privilégiée de voyager indique l'importance du personnage aux yeux des Anglais. Ces derniers placent dans ce physicien d'exception beaucoup d'espoirs. Alors que leur île est menacée par les nazis, ils viennent de confier à Hans Halban la responsabilité du déménagement de leur laboratoire nucléaire de Cambridge vers le Canada. Les recherches qu'il abrite sont très avancées et relèvent de la stratégie militaire. Qu'il soit source d'énergie ou de destruction, tout indique que l'atome peut jouer un grand rôle dans l'issue de la guerre.

Pour l'heure, le scientifique s'installe à l'hôtel Windsor, un des établissements les plus prestigieux de Montréal[2]. C'est là que le roi George VI et son épouse Elizabeth ont résidé lors de leur visite en 1939[3]. C'est également là que le général de Gaulle fera un discours devant une foule nombreuse massée au square Dorchester en juillet 1944[4]. Cet hôtel est situé dans un quartier en pleine mutation, en passe de devenir le centre de la ville. L'assureur Sun Life y a construit son gratte-ciel, qui est alors le plus haut bâtiment de l'Empire britannique. Hans Halban sera rapidement rejoint par sa femme et

---

1. Bertrand Goldschmidt, *Pionniers de l'atome*, Stock, 1987, p. 203.
2. Danielle Ouellette, *Franco Rasetti, physicien et naturaliste*, Guérin, 2000, p. 68.
3. Renée Gagnon-Guimond, « Leurs majestés au Québec. La visite royale de 1939 », dans *Cap-aux-Diamants*, vol. 5, n° 4, hiver 1990, p. 26.
4. Roger Barrette, *De Gaulle, les 75 déclarations qui ont marqué le Québec*, Septentrion, 2019, p. 81.

Hans Halban, le premier directeur du Laboratoire, était un scientifique issu de la noblesse autrichienne devenu Français. On le voit ici à Londres après la guerre. C'est lui qui a fui l'avancée des nazis en 1940, avec son collègue Kowarski, en sauvant le stock d'eau lourde qui se retrouva finalement à Montréal. Lotte Meitner-Graf, archives personnelles de Philippe Halban.

sa fille de 3 ans, Catherine Mauld. Au sein même de l'hôtel, il commence à rencontrer des candidats potentiels pour constituer l'équipe de Montréal. Mais reste à trouver des locaux pour mener des expériences scientifiques d'envergure...

Frank Cyril James, le recteur de l'Université McGill, vient à la rescousse d'un laboratoire qui cherche son nid[5]. McGill est déjà engagée de façon majeure dans des projets militaires, dont celui du RDX, un explosif plus puissant que le TNT. Parfaitement conscient des enjeux de la guerre, Frank James met à la disposition d'Halban une grande demeure de deux étages de style « roman richard-sonien », du nom d'un célèbre architecte américain[6], directement inspiré des églises européennes. Cette maison bourgeoise comporte une tour et plusieurs lucarnes[7] lovées dans de larges voûtes. Le rez-de-chaussée se divise en plusieurs grandes pièces avec foyers, tandis que les étages sont une enfilade de chambres. Halban s'empare de celle des maîtres et il relègue sa secrétaire dans la salle de bain. La maison est au numéro 3470 de la rue Simpson[8], sur le flanc du mont Royal, la colline qui domine le centre-ville. C'est très pratique pour Halban, puisque son hôtel est situé tout près.

---

5. Henry Gass, « Montreal in the age of the atom », dans *The McGill Daily*, 11 novembre 2010.

6. « Thomas E. Hodgson House (1892-1904) », archives de la Canadian Architecture Collection, Université McGill, cac.mcgill.ca, consulté le 31 octobre 2019.

7. Ce bâtiment sera démoli en 1976, comme beaucoup d'autres habitations patrimoniales, pour faire place à une tour d'appartements en prévision des Jeux olympiques.

8. Henry Gass, *op. cit.*

Le choix de McGill a été rapidement entériné, en attendant de trouver un emplacement plus grand et plus approprié. En 1942, l'établissement anglophone ne possède qu'une rivale dans la cité : l'Université de Montréal, ancienne succursale de l'Université Laval de Québec. En fait, McGill bénéficie d'un atout imparable : une réputation internationale d'excellence en physique. Cet avantage considérable, elle le doit au chercheur néo-zélandais Ernest Rutherford, professeur à Montréal de 1898 à 1907. Dès son arrivée, il s'est intéressé à la radioactivité, découverte deux ans plus tôt par Henri Becquerel et confirmée par Marie Curie. La radioactivité est l'émission de rayonnements par la matière, sans intervention extérieure. Rapidement, les chercheurs ont compris que différents types de rayons étaient émis. Au sein de McGill, Ernest Rutherford participe activement à les caractériser, en collaboration et en compétition avec d'autres équipes européennes. Ces travaux vaudront à Rutherford le prix Nobel de chimie en 1908. Le parcours nucléaire de la ville a démarré avec les honneurs !

Le laboratoire atomique des Anglais ne détonne pas du tout dans le paysage industriel local. Montréal est au cœur de la production militaire de l'Empire britannique. L'entrée en guerre du Canada aux côtés de l'Angleterre, en 1939, a permis à la ville de retrouver le plein emploi. Plusieurs usines de munitions et d'armements sont très actives. La Defense Industries Limited (DIL) reprend un site de munitions de la Première Guerre mondiale à Verdun[9], sur l'île de Montréal. Elle l'agrandit et en fait la

---

9. Cette municipalité, située sur l'île de Montréal, porte le même nom que la ville française où se déroula l'une des plus féroces batailles de la Grande Guerre.

Le physicien Ernest Rutherford (ici dans son laboratoire en 1905) gagna le prix Nobel de chimie grâce à ses travaux réalisés à l'Université McGill. Photographe inconnu, publiée dans A.S. Eve, *Rutherford: Being the Life and Letters of the Rt. Hon. Lord Rutherford, O.M.*, Cambridge University Press, 2013.

plus importante manufacture de ce genre au Canada. Au plus fort de la guerre, 6 000 personnes y travaillent, en grande majorité des femmes, sur des périodes de onze heures par jour. La DIL produit à Verdun environ un milliard et demi de cartouches de petit calibre, qu'elle vend à l'armée canadienne et à ses alliés[10]. Des tanks sortent

10. Musée canadien de la guerre, « La vie sur le front intérieur : Montréal, ville québécoise en guerre », www.museedelaguerre.ca, page consultée le 4 novembre 2019.

des usines Angus dans l'est de la ville et des destroyers sont assemblés par la Canadian Vickers à Viauville, un autre quartier à proximité. Une quantité impressionnante de matériel militaire est ainsi fabriquée à Montréal.

Malgré cela, et pour cause, les chercheurs recrutés par Halban trouvent au Québec une atmosphère très différente de celle des villes européennes. Montréal est en effet épargnée par les affres de la guerre. Aucun bombardier allemand ne s'aventure dans le ciel canadien. Montréal, comme d'autres grandes villes nord-américaines, se prépare tout de même à cette éventualité, mais de façon assez légère. Les simulations de *blackout* ne sont pas toujours prises au sérieux, comme cette nuit d'octobre 1943 où les lumières de la gare Centrale et de l'Université McGill sont restées allumées[11]. Le rationnement est beaucoup moins sévère qu'en Angleterre. Les expatriés britanniques, qui suivront Halban, s'empresseront ainsi d'envoyer à leurs familles des colis contenant des produits comme du beurre, denrée introuvable outre-Atlantique. Postes Canada sera d'ailleurs contraint de proposer des boîtes étanches pour empêcher cette matière fondante de couler durant le transport[12].

Hans Halban est heureux de trouver cette sérénité relative dans les rues de Montréal, après une série de départs précipités. Car si le physicien a dû quitter la France puis l'Angleterre, c'est pour fuir les nazis, mais aussi pour protéger une substance bien particulière qui jouera un rôle majeur au Laboratoire de Montréal.

---

11. John Kalbfleisch, «Wartime blackout drill caught Montreal off guard», *Montreal Gazette*, 13 octobre 1943.

12. Interview d'Alma Chackett, Swansea, Pays de Galles, 9 septembre 2019.

La bataille de l'eau lourde

L'eau est certainement la substance dont la composition chimique est la plus connue : H_2O. Mais ce que l'on sait moins, c'est qu'elle peut aussi exister sous une autre forme, dite eau lourde. Dans cette configuration, l'hydrogène symbolisé par le H comporte un neutron en plus d'un proton dans son noyau. Cette propriété la rend plus lourde et surtout lui confère une utilité pour les réactions nucléaires. Quand un noyau d'uranium se divise en deux, il libère de l'énergie et des neutrons. Si ces neutrons sont canalisés lors de cet événement nommé fission, ils peuvent déclencher d'autres réactions du même type et entraîner la fameuse réaction en chaîne qui fait fonctionner les centrales ou exploser les bombes. Un des hommes derrière cette découverte fondamentale est notre physicien en chef, Hans Halban. Au moment de ces expériences, au début de l'année 1940, le scientifique est loin de savoir qu'il voyagera bientôt à Montréal. Sa carrière est bien lancée en France : après avoir travaillé avec le génial Niels Bohr à Copenhague, il a atterri dans le saint des saints, le laboratoire créé par Marie Curie à Paris. Avec Frédéric Joliot, le gendre de cette dernière, ils ont pu reconnaître l'eau lourde comme une des substances idéales pour mettre à profit les réactions nucléaires et en récupérer la précieuse énergie.

Seulement voilà, l'eau lourde est très rare dans la nature : on trouve une de ses particules toutes les 3 200 molécules d'eau légère ! En 1939, elle fait carrément figure de curiosité. Une seule entreprise dans le monde en produit de façon appréciable : la norvégienne Norsk Hydro, dans sa centrale de Vemork, à l'ouest d'Oslo. Cette activité est alors mineure pour la société, qui consacre l'essentiel de

La centrale de Vemork en Norvège a joué un grand rôle au début de la Seconde Guerre mondiale. C'est ici que les services secrets français allèrent chercher l'eau lourde en 1940, privant ainsi les Allemands d'une ressource précieuse. Anders Beer Wilse, Bibliothèque nationale de Norvège.

ses opérations à l'ammoniac, utilisé dans la fabrication d'engrais. L'eau lourde produite en parallèle est vendue à des physiciens et des chimistes pour des recherches fondamentales. Au début de l'année 1940, Frédéric Joliot a bien conscience des enjeux stratégiques autour de ce liquide. Il alerte les autorités françaises et les incite vivement à mettre la main sur le stock complet d'eau lourde, environ 185 kilogrammes, qui se trouvent à Vemork. Deux agents secrets français se rendent en Norvège, alors territoire neutre, et convainquent le directeur général de Norsk Hydro, Axel Aubert, de prêter toute l'eau lourde en sa possession à la France pour la durée de la guerre. Les Français transportent secrètement les barils d'eau lourde en avion d'Oslo jusqu'à Perth, en Écosse, puis jusqu'à Paris au début de mars 1940. Ce sera le début d'un long voyage pour ces barils en apparence anodins. Il était moins une, car l'Allemagne allait envahir le Danemark et la Norvège le 9 avril[13].

Hans Halban et son collègue Lew Kowarski se mettent au travail, aussitôt l'eau lourde reçue au laboratoire Curie. Cette collaboration, qui va se prolonger jusqu'à Montréal, n'est pas simple, car les deux hommes ne s'apprécient guère. Passant outre leurs divergences, ils tentent d'effectuer des expériences pour mesurer le nombre moyen de neutrons produits par fission lorsque des barres d'uranium sont plongées dans l'eau lourde. Ce nombre est crucial pour déterminer les masses d'uranium et d'eau lourde nécessaires à l'obtention d'une réaction autoentretenue. Ils sont interrompus par l'avancée de la Wehrmacht, l'armée du IIIe Reich.

Les troupes allemandes entrent en France le 13 mai 1940 après avoir traversé la Belgique. Elles pénètrent dans Paris le 14 juin 1940. Vers la fin mai, le ministre des Armements, Raoul Dautry, téléphone à Joliot et le presse de transférer son projet à l'extérieur de Paris. On croit alors pouvoir contenir les Allemands au nord de la Loire. Joliot loue une villa à Clermont-Ferrand, à 400 kilomètres au sud de Paris, où il pense installer un laboratoire d'urgence. Il charge ses collaborateurs, dont Halban et Kowarski, d'y transporter l'eau lourde et leurs notes de laboratoire. Halban est le premier à se rendre à Clermont-Ferrand. Kowarski le suit début juin à la tête d'un convoi transportant plusieurs tonnes d'oxyde d'uranium. Kowarski rejoint Halban, tandis que le convoi d'uranium

---

13. Per F. Dahl, *Heavy Water and the Wartime Race for Nuclear Energy*, Institute of Physics Publishing, 1999, p. 104-110.

L'équipe formée des physiciens Lew Kowarski, Frédéric Joliot et Hans Halban était à l'avant-garde des recherches atomiques en 1940. Jules Guéron, gracieuseté des archives visuelles Emilio Segrè, American Institute of Physics.

part en direction de la ville portuaire de Bordeaux. Les Français ne veulent pas que les Allemands profitent des matériaux en leur possession durant la guerre. Lorsque les barils d'eau lourde arrivent à Clermont-Ferrand, Joliot fait en sorte qu'ils soient entreposés dans une prison à Riom, à quelques kilomètres de là. L'uranium, quant à lui, sera caché pendant toute la guerre et hélas indisponible pour nos expérimentateurs. Comme nous le verrons, ce minerai manquera cruellement par la suite.

Les Joliot-Curie et leurs deux enfants arrivent à la mi-juin. Un laboratoire temporaire a déjà été mis sur pied à Clermont-Ferrand, et les physiciens envisagent d'y poursuivre leurs expériences. Le 16 juin, deux jours après la chute de Paris, par un matin ensoleillé, les Joliot-Curie prennent leur petit déjeuner en ville dans un café.

Une moto arrive pétaradant sur la place, le lieutenant Jacques Allier en descend[14]. Il demande à parler à Frédéric un peu à l'écart. Les armées franco-britanniques sont en pleine déroute et le gouvernement vient d'ordonner que l'eau lourde soit transférée à Bordeaux, d'où elle sera embarquée sur un bateau en partance pour l'Angleterre. Il donne à Joliot un ordre de mission à cet effet signé par le ministre Dautry. Ce même jour, le président du Conseil, Paul Reynaud, présente sa démission au président de la République. Il est remplacé par le maréchal Pétain. L'évacuation de l'eau lourde vers l'Angleterre est l'une des dernières décisions prises par le gouvernement Reynaud. Joliot est convaincu qu'Halban, Kowarski et leurs familles doivent prendre immédiatement la route pour Bordeaux, distante de près de 500 kilomètres, mais il est indécis sur son propre sort. Son épouse est souffrante. Atteinte de tuberculose depuis le début des années 1930, Irène Joliot-Curie a déjà fait plusieurs séjours en sanatorium. Frédéric hésite entre poursuivre les recherches à l'étranger et rester en France.

La suite est digne d'un film d'aventures. Le lendemain, 17 juin, le lieutenant Allier et Halban vont récupérer les barils d'eau lourde dans la prison de Riom, non sans difficulté, car le directeur de la prison hésite, le gouvernement ayant démissionné. Allier sort son revolver, ce qui achève de convaincre l'homme indécis[15]. Revenus à Clermont-Ferrand, ils forment un convoi avec Kowarski, leurs familles, leurs bagages et la précieuse eau lourde.

---

14. Kerin Freeman, *The Civilian Bomb Disposing Earl*, Pen and Sword Books, 2015, p. 82.

15. Robert Jungk, *Brighter than a Thousand Suns*, Harcourt Brace, 1958, p. 108.

Le travail acharné d'Irène et de Frédéric Joliot-Curie sur la radio-activité leur valut le prix Nobel de chimie en 1935. Agence de presse Meurisse, Bibliothèque nationale de France.

Le trajet est pénible, car ils doivent traverser de nombreuses routes nord-sud encombrées par des milliers de personnes qui fuient les zones occupées par les Allemands. Ils arrivent en pleine nuit à Bordeaux, où les attend un adjoint d'Allier. Ce dernier griffonne sur un papier un ordre d'embarquement sur le SS Broompark (SS pour *steamship*, navire à vapeur), qui est à quai dans le port de Bordeaux.

Ils y embarquent tous leurs biens. Les quelques cabines ayant été réservées pour les femmes et les enfants, Halban et Kowarski dorment sur un tas de charbon. Parallèlement, la famille Joliot-Curie se met également en route. Irène étant épuisée, Frédéric la dépose avec les enfants dans un sanatorium à Salagnac en Dordogne, et poursuit sa route. À son arrivée à Bordeaux le lendemain, il hésite sur la marche à suivre, tergiverse et décide finalement de rester en France. Il veut rencontrer une dernière fois Halban et Kowarski, mais ne trouve pas le SS Broompark. Le bateau a commencé à descendre la Gironde quelques heures auparavant, de peur d'être intercepté par les Allemands[16]. Joliot restera en France pendant la guerre et aura un rôle important dans la Résistance.

Le périple sur l'Atlantique et la Manche prend plus de trente-six heures, car le SS Broompark essaie d'éviter les U-Boot (pour Unterseeboot), les sous-marins allemands. Nos deux savants arrivent à Falmouth en Cornouailles, puis un train les transporte avec leur cargaison jusqu'à Londres à la fin juin de 1940. Halban réussit à convaincre les Anglais de l'importance de leurs travaux. John Cockcroft, un physicien britannique élève de Rutherford, qui est de 10 ans l'aîné des deux réfugiés français, vient à leur aide en leur proposant de s'installer dans le laboratoire Cavendish à l'université de Cambridge.

Pour se rendre de Londres à Cambridge, nos deux comparses empruntent une auto usagée et leur voyage prend une allure rocambolesque. Par peur d'une invasion allemande, tous les panneaux indiquant les routes, rues, villes et villages ont été retirés. En tant qu'étrangers, ils n'ont pas droit à une carte routière. Kowarski décide donc d'apprendre par cœur le nom des pubs de tous les villages qui se trouvent sur leur chemin. Et c'est ainsi que de pub en pub, ils effectuent leur périple[17] ! Il faudra attendre août pour qu'ils puissent reprendre leurs travaux,

---

16. Michel Pinault, *Frédéric Joliot-Curie*, Odile Jacob, 2000, p. 164-166.

17. Margaret Gowing, *Britain and Atomic Energy 1939-1945*, Macmillan & Co, 1964, p. 51.

dans le laboratoire même où la découverte du neutron a eu lieu. Les deux hommes le pressentent : il n'y a pas de temps à perdre, car une course scientifique est engagée...

Les Anglais ont un coup d'avance

L'Angleterre, point de chute d'Halban et Kowarski, est un véritable refuge pour de nombreux autres chercheurs. Depuis la fin des années 1930, une trentaine d'experts réputés, dont beaucoup d'ascendance juive, ont fui la terreur nazie qui se propage en Europe. Comme on peut facilement se l'imaginer, ils sont très motivés à l'idée d'aider les Alliés dans leur lutte contre l'Axe. Certains ne sont pas des débutants en fission nucléaire, phénomène physique clé pour la bombe. Parmi ceux-ci se trouvent Otto Frisch et Rudolf Peierls, qui s'apprêtent à faire une découverte étonnante et décisive. Dès mars 1940, ces deux physiciens juifs, réfugiés à Birmingham, calculent que la masse d'uranium nécessaire pour une arme est bien plus faible que prévu : de l'ordre du kilogramme. Ils écrivent un court mémorandum, *top secret*, donnant cette information et expliquant les conséquences qu'aurait une bombe atomique. Ils le transmettent à Mark Oliphant, professeur de physique anglais qui le fera remonter jusqu'au gouvernement. Le mémorandum de Frisch et Peierls fait grand bruit chez les responsables britanniques[18]. Jusque-là, on supposait que la masse critique pour une

18. Jeremy Bernstein, « A memorandum that changed the world », *American Journal of Physics*, vol. 79, n° 440, 2011.

bombe était de plusieurs tonnes d'uranium, rendant sa construction hypothétique[19].

En réaction au mémorandum, Winston Churchill, premier ministre anglais alors en poste, crée le comité MAUD, qui doit creuser cette question et produire un rapport destiné au gouvernement. Le nom du comité est dû à un étrange concours de circonstances. Alors que le Danemark est envahi par l'Allemagne, Niels Bohr, le physicien le plus connu sur la planète après Einstein, envoie un télégramme à Otto Frisch. Il le conclut par la phrase « Dites-le à Cockcroft et Maud Ray Kent ». Dans l'atmosphère de paranoïa de la guerre, Otto Frisch, qui ne connaît personne du nom de Maud Ray Kent, penche pour un message codé à propos de la désintégration de l'uranium (« uranium disintegration », « ud » les deux dernières lettres de Maud). À défaut de décrypter le sens du message, il est décidé d'utiliser ce mot comme nom de code pour le comité. En fait, Bohr transmettait simplement ses salutations à l'ancienne gouvernante de ses enfants vivant dans le Kent : une certaine Maud Ray !

Le comité MAUD est composé de huit personnes, dont Mark Oliphant, James Chadwick (le découvreur du neutron) et John Cockcroft, un physicien du laboratoire Cavendish, que l'on retrouvera à Montréal. Ces trois hommes sont d'anciens collaborateurs d'Ernest Rutherford à Cambridge. C'est le branle-bas de combat : les universités de Liverpool, d'Oxford, de Cambridge et de Birmingham et la compagnie Imperial Chemical Industries (ICI) sont mises à contribution. Le comité MAUD tient sa première réunion le 10 avril 1940 en

---

19. Même les plus grands physiciens comme Fermi ou Bohr sont à cette époque sceptiques.

présence de Hans Halban et de Lew Kowarski, invités par Cockcroft. Si l'on veut fabriquer une bombe, encore faut-il disposer du bon type d'uranium ! Il y a deux sortes d'uranium dans la nature, intimement mêlées l'une à l'autre, l'uranium-235 et l'uranium-238. On ne peut les distinguer, sauf par leurs masses qui sont légèrement différentes. Rapidement après la découverte de la fission, on s'aperçoit que c'est seulement l'uranium-235 qui explose lorsqu'il absorbe un neutron. Si on veut fabriquer une bombe, il faut donc séparer l'uranium-235, qui ne forme qu'une très petite fraction de l'uranium naturel (moins de 1 %), de l'uranium-238. Cette manipulation s'avère très difficile, justement parce que les deux types d'uranium sont si semblables chimiquement. Des programmes de recherche pratique et théorique sur la séparation sont lancés, principalement à l'université de Liverpool et au laboratoire Cavendish de l'université de Cambridge. Le travail du comité et les activités de recherche se poursuivent pendant plus d'un an.

Halban tient à tout prix à être au centre de l'action et veut être membre à part entière du comité MAUD. On lui fait comprendre que les règlements officiels interdisent aux étrangers d'être membre d'un comité de défense. Cockcroft vient à nouveau à la rescousse d'Halban en créant un sous-comité technique auquel peuvent siéger les deux Français. Halban obtient ainsi d'être invité à presque toutes les réunions du comité MAUD. Devant l'avancement des recherches en Grande-Bretagne, au printemps 1941, le comité est convaincu de la faisabilité de la production d'uranium enrichi (en 235) pour constituer une bombe. Les Britanniques comptent sur les larges réserves d'uranium canadien pour s'approvisionner durant la guerre. Ils entament des discussions avec le gouvernement de l'ancienne colonie à ce sujet. Le gouvernement canadien achète en conséquence des parts de la compagnie Eldorado Gold Mines, qui possède une mine d'uranium près du Grand lac de l'Ours dans les Territoires du Nord-Ouest. Le minerai d'uranium extrait est ensuite envoyé près de quatre mille kilomètres plus au sud à Port Hope, sur les rives du lac Ontario, pour y être raffiné. Après toutes ces démarches pratiques, le comité MAUD approuve la version finale de deux rapports le 15 juillet 1941. L'un traite de l'utilisation de l'uranium pour une bombe en se basant sur les idées de Peierls et Frisch, l'autre considère l'uranium comme source d'énergie, tâche à laquelle travaillent Halban et Kowarski à Cambridge. Les deux documents sont transmis au gouvernement. Celui décrivant la nouvelle arme donne des détails techniques sur la production d'une bombe atomique : il estime à douze kilogrammes la masse critique d'uranium-235 rendant la puissance de la bombe équivalente à mille huit cents tonnes de TNT. Ce chiffre énorme représente plus de dix mille fois la puissance des plus grosses bombes conventionnelles de l'époque.

L'Angleterre, qui vient de comprendre que cette nouvelle arme sera décisive dans cette guerre mondiale, se méfie grandement de son ennemi, prêt à tout. Or l'Allemagne a déjà mis la main sur des ressources essentielles : les mines d'uranium de Joachimsthal lorsqu'elle a envahi la Bohême en mars 1939 et les réserves d'uranium de la Belgique, provenant du Congo. Elle s'empare en outre de l'usine de production d'eau lourde de Vemork avec l'occupation de la Norvège en juin 1940. Les nazis s'appuient sur des savants de pointe dans le domaine nucléaire : Otto Hahn, futur prix Nobel de chimie, et

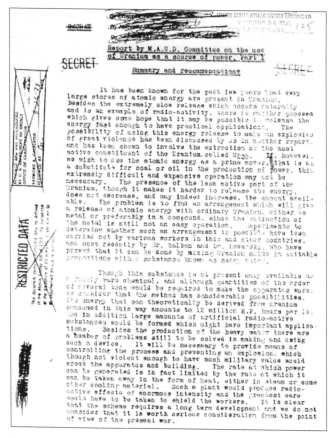

Le rapport du comité MAUD (dont on voit la première page) sur l'utilisation de l'uranium comme source d'énergie est à l'origine des travaux du Laboratoire de Montréal. Gouvernement du Royaume-Uni.

surtout Werner Heisenberg, un des pères de la mécanique quantique. Les Allemands ont donc les ressources matérielles, financières et humaines pour rivaliser avec le Royaume-Uni dans cette course effrénée. L'augmentation de la production d'eau lourde à Vemork et d'autres indices viennent renforcer les soupçons britanniques : les nazis auraient aussi entamé les préparatifs à la construction d'une bombe. Après plusieurs mois de considération par l'appareil d'État britannique, Winston Churchill approuve le plan de développement de la bombe en octobre 1941 et demande que le projet soit établi plus officiellement. Wallace Akers, un chimiste d'ICI, est désigné pour diriger les opérations. Pour masquer le but réel, on choisit «Tube Alloys» comme nom de code. Cette expression nébuleuse, qui signifie littéralement alliages de tube, semble indiquer aux non-initiés un projet relié à l'aéronautique[20]. Le comité MAUD suggère en outre au gouvernement d'envisager une collaboration avec les États-Unis...

Mais l'Angleterre est menacée

Tout au long de cette période, allant de l'invasion de la France (mai 1940) à l'entrée en guerre des États-Unis (décembre 1941), la situation de l'Angleterre est très précaire ; le pays redoute même une invasion. En attendant, les Allemands pilonnent l'île depuis les airs grâce à des centaines de bombardiers. Londres en particulier est très touchée, mais aussi Plymouth, Birmingham et Liverpool. Trois millions et demi de personnes sont évacuées, près de 50 000 civils sont tués et plus de 100 000 Anglais sont blessés. Tout le monde est mis à rude contribution pour la défense d'Albion. Ken Chackett, un chimiste qui travaillera plus tard au Laboratoire de Montréal, est de garde la nuit dans le haut de la tour de l'horloge de l'université de Birmingham. Lorsque des bombes

---

20. Margaret Gowing, *op. cit.*, p. 109.

incendiaires tombent de son côté, il doit les pousser vers le bas pour empêcher la tour de prendre feu[21]. Le but avoué de l'opération allemande est de démoraliser la population et de forcer le gouvernement Churchill à signer un armistice. Mais les Londoniens résistent et Churchill refuse tout accord de paix avec Hitler.

Les Anglais cherchent par tous les moyens à inverser le cours de la guerre. Pour reprendre l'initiative, ils misent notamment sur des projets scientifiques de pointe. Des recherches sur le radar sont par exemple menées au collège Malvern près de Birmingham. Le célèbre Alan Turing tente, de son côté, de décrypter les codes secrets allemands (chiffrés par la machine Enigma), à Bletchley Park, à mi-chemin entre Oxford et Cambridge. Le projet atomique ne fait pas encore figure de priorité et Tube Alloys doit se battre pour recruter des talents parmi les scientifiques[22]. Les groupes engagés par le comité MAUD poursuivent tout de même leurs travaux, à l'image d'Halban et Kowarski qui effectuent leurs recherches sur l'atome au laboratoire Cavendish. Ils sont épaulés par de nouveaux groupes dans les universités de Bristol et de Birmingham. Pour trouver un second souffle, les Anglais lorgnent de plus en plus leurs anciennes colonies… Bien conscients de leurs limites depuis septembre 1940, ils espèrent intéresser les Américains pour obtenir du financement et des ressources. Une délégation scientifique britannique, la mission Tizard (du nom de son responsable), se rend aux États-Unis pour établir une coopération

---

21. Interview d'Alma Chackett, Swansea, Pays de Galles, 9 septembre 2019.

22. Ce sera le cas de John Cockcroft, de Bernard Kinsey et d'Alan Nunn May, qui travaillaient précédemment sur le radar.

scientifique entre les deux pays. Parmi eux se trouve John Cockcroft, un des scientifiques britanniques de pointe sur la recherche atomique. Il rencontre Enrico Fermi à l'université Columbia à New York et s'aperçoit, stupéfait, que ses recherches se font en parallèle de celles d'Halban et Kowarski à Cambridge.

La différence principale entre les deux groupes tient au type de réacteur nucléaire qu'ils essaient de réaliser. L'équipe Halban-Kowarski utilise l'eau lourde comme modérateur, tandis que celle de Fermi, un physicien italien récemment installé à l'université Columbia (dans Manhattan), utilise du graphite. À ce moment, Fermi accuse quelques mois de retard sur Halban, comme l'ensemble des recherches atomiques américaines. Un protocole d'échange est mis en place, et les Britanniques font parvenir au comité Uranium américain leurs principaux résultats et les deux rapports du comité MAUD. Le groupement américain est présidé par Lyman Briggs, un scientifique nommé par Roosevelt, qui ne croit pas à la faisabilité d'une bombe atomique. En conséquence, Briggs ne fait pas circuler l'information et garde les rapports du comité MAUD dans son coffre-fort! À l'été 1941, le physicien Mark Oliphant se rend à nouveau aux États-Unis pour faire la promotion de la coopération britanno-américaine. Il découvre que Briggs a tout gardé pour lui et se charge d'informer les autres membres du comité Uranium de la réelle possibilité d'une bombe.

Peu de temps après, les Américains montent leur propre mission. Deux scientifiques renommés, Harold Urey et George Pegram, font le tour des laboratoires britanniques justement engagés dans le projet Tube Alloys. Roosevelt écrit même à Churchill pour lui proposer de collaborer. Les Britanniques, qui ne semblent pas voir que les Américains commencent à s'activer sérieusement, ne traitent pas ces sollicitations avec beaucoup d'empressement. Ce désintérêt ne va pas durer, mais il sera alors trop tard… Urey et Pegram reviennent aux États-Unis et remettent leur rapport. Ce document convainc le président Roosevelt de lancer la recherche sur la bombe en fondant le futur projet Manhattan. Le lendemain, le 7 décembre 1941, les Japonais attaquent les Américains à Pearl Harbor. En retour, le pays entre dans le conflit mondial et déploie des moyens gigantesques. Plusieurs villes secrètes sortent de terre, dont celle de Los Alamos au Nouveau-Mexique et d'Oak Ridge au Tennessee, chacune explorant différentes techniques nécessaires à la création de la bombe. Bousculés par cette débauche de moyens, plusieurs chercheurs britanniques demandent au gouvernement Churchill de s'entendre avec les États-Unis pour une collaboration au projet. Réalisant qu'ils ont maintenant du retard sur les Américains, les Britanniques demandent, à l'été 1942, que leur groupe de Cavendish soit intégré au laboratoire de Chicago. Les Américains refusent, constatant qu'ils n'ont plus besoin de l'aide du Royaume-Uni pour développer la bombe et que celle-ci sera un atout majeur dans la reconfiguration politique qui aura nécessairement lieu après la guerre. Ils décident de restreindre au minimum les échanges d'information avec les Britanniques.

C'est encore pire quand l'armée américaine prend le contrôle du projet atomique en juin 1942. C'est le corps des ingénieurs du district de Manhattan, une division de l'armée de terre, qui le dirige. Le fameux projet Manhattan bascule, en septembre 1942, sous la responsabilité du lieutenant-général Leslie Groves, assisté du physicien Robert Oppenheimer. Groves impose tout de suite des mesures de sécurité draconiennes. Il craint l'espionnage des communistes et se méfie grandement des nombreux scientifiques étrangers qui travaillent à Cambridge pour les Britanniques. Les liens scientifiques avec les Anglais sont alors rompus.

Toutes ces péripéties militaires et politiques n'ont pas empêché le groupe d'Halban et Kowarski de poursuivre leurs travaux en Angleterre. Dès leur arrivée, ils ont tenté de prolonger les expériences qu'ils menaient chez Joliot à Paris. En plongeant de l'uranium dans l'eau lourde qu'ils ont ramenée de France, ils obtiennent en quelques mois la quasi-certitude qu'une réaction en chaîne est possible. Mais la rareté des produits d'expérience les rend incapables d'aller plus loin pour la réaliser réellement. En outre, la faible proportion d'uranium-235 contenu dans la matière naturelle, les empêche – sans qu'ils l'aient réalisé – de disposer du bon carburant pour fabriquer une bombe. Ils se concentrent donc sur la deuxième application recommandée par le comité MAUD : la production d'énergie. Dans le contexte de la guerre acharnée contre les Allemands, cette voie n'est pas prioritaire. C'est une découverte réalisée par des voisins qui va relancer l'intérêt de Tube Alloys pour l'arme nucléaire.

Forts de leurs calculs, les physiciens Egon Bretscher et Norman Feather, du laboratoire Cavendish, avancent que, lorsque l'uranium-238 absorbe un neutron, il se transforme après décroissance radioactive en plutonium-239. Si leurs prévisions s'avèrent exactes, en absorbant un neutron, ce nouvel atome peut exploser en deux (fissionner) et libérer l'énergie nécessaire pour une bombe. À ce stade, cela reste spéculatif, car les deux scientifiques n'ont pas les équipements pour le vérifier, mais cette hypothèse sérieuse ouvre une nouvelle voie vers la production d'une bombe, cette fois au plutonium[23]. Le groupe d'Halban n'en est pas immédiatement conscient, mais c'est un tournant majeur pour lui. Il existe maintenant deux voies vers une bombe atomique : la première, celle de l'enrichissement en uranium-235, qui comporte de grandes difficultés techniques ; et la seconde, celle de la bombe au plutonium, qui nécessite la construction d'une pile atomique à l'intérieur de laquelle le plutonium est produit en quantité suffisante.

Cette deuxième voie est potentiellement plus simple que la bombe à l'uranium puisque le plutonium semble plus facile à isoler. La pile atomique envisagée par Halban et Kowarski, à l'uranium naturel et à l'eau lourde, permettrait justement de fabriquer du plutonium. Cette piste, qui n'avait pas été retenue en 1941 par le comité MAUD, devient claire pour les Britanniques par la suite et rehausse le statut du laboratoire Cavendish. C'est dans ce contexte que l'on veut déménager le groupe d'Halban en Amérique du Nord, là où on espère avoir les ressources nécessaires en uranium et en eau lourde pour mener à bien cette entreprise.

---

23. Au moment de la suggestion de Bretscher et Feather, les éléments de masse atomique 93 et 94 n'avaient pas de nom. C'est un autre physicien du laboratoire Cavendish, Nicholas Kemmer, qui propose neptunium et plutonium, par analogie avec les planètes Neptune et Pluton, qui succèdent à la planète Uranus quand on s'éloigne du Soleil (l'élément de masse atomique 92 est l'uranium).

Installation à Montréal

Justement, un projet de transfert en Amérique du Nord est en discussion à Londres depuis plus d'un an. Le groupe d'Halban voudrait bien se retrouver aux côtés de Fermi, qui planche sur une pile à l'uranium à Chicago. Hélas pour les Anglais, les instances américaines ne le voient pas de cet œil. On se tourne alors vers un allié sans faille qui possède de vastes ressources : le Canada! L'ancienne colonie se montre nettement moins réticente que son voisin du sud[24]. À Ottawa, le ministre des Munitions et des Approvisionnements, C. D. Howe – surnommé le « ministre de tout », tellement il ratisse large – accueille même très favorablement la demande. Une entente est rapidement signée entre les deux pays dans le plus grand secret : seuls les premiers ministres et une partie du gouvernement sont au courant. On s'accorde pour que les Britanniques paient les salaires des employés anglais et que le Conseil national de recherches du Canada (CNRC) débourse ceux des employés nationaux, ainsi que la majorité des coûts des locaux et des équipements. La ville d'Ottawa est d'abord envisagée pour accueillir le laboratoire, mais on choisit finalement Montréal pour son aéroport moderne, son réseau ferroviaire et ses deux grandes universités (McGill et Université de Montréal). La présence d'un laboratoire a aussi plus de chance de rester confidentielle à Montréal qu'à Ottawa, ville de toutes les ambassades...

---

24. Un ministre du cabinet de guerre de Churchill (John Anderson) contacte l'ambassadeur britannique à Ottawa, Malcolm MacDonald, pour qu'il fasse une proposition au gouvernement du Canada en août 1942.

Reste à trouver un dirigeant pour le tout nouveau Laboratoire de Montréal. Or, c'est exactement le genre de poste dont rêvait Hans Halban depuis son arrivée en Angleterre. À l'automne 1942, il réussit à obtenir sa nomination à la tête du groupe de recherche. Ce choix, pertinent sur papier, va en fait freiner le bon déroulement du projet. La première alerte émane du plus proche collaborateur d'Halban : Lew Kowarski. Ce collègue, qu'il a toujours considéré comme subalterne, décide de rester à Cambridge pour ne plus être sous sa férule. Les deux hommes entretiennent une certaine rancœur. Kowarski est un homme malhabile en société et provenant d'une famille peu fortunée que tout oppose, au départ, à un Halban, à l'éducation raffinée. Pire, Kowarski ne supporte plus les velléités de son collègue, trop concentré à ses yeux sur les enjeux politiques. D'ailleurs, Kowarski, tout au long de 1942, dirige les recherches du groupe de Cambridge pendant qu'Halban passe la plus grande partie de son temps dans des réunions administratives et en voyage. Approuvant la décision de Kowarski, une majorité des scientifiques de Cambridge décide de lui emboîter le pas et refuse d'être transférée à Montréal. Il faut tout le doigté et le prestige de James Chadwick (le découvreur du neutron) et d'Edward Appleton (le secrétaire du DSIR, l'équivalent britannique du CNRC) pour que cette mini-rébellion s'éteigne et que le groupe soit finalement déplacé, à partir de février 1943, à Montréal.

La science de l'atome est encore jeune et les spécialistes ne sont pas monnaie courante, car déjà recrutés par les Américains ou dispersés dans des pays hostiles. Halban commence par engager Georg Placzek, un Tchèque d'une famille juive aisée, physicien renommé, qui a travaillé avec Bohr sur le problème de l'uranium-235. C'est d'ailleurs dans ce laboratoire que les deux physiciens se sont connus au milieu des années 1930. Depuis le début de la guerre, Placzek enseigne aux États-Unis, à l'Université Cornell dans l'État de New York. Il est alors engagé par Tube Alloys et passe l'automne 1942 à Cambridge avec Kowarski, avant d'arriver à Montréal à la fin décembre. Placzek, qui est un polyglotte chevronné, est un maillon très utile dans une équipe cosmopolite. Il prend la tête du Département de physique théorique et aide Halban à recruter des chercheurs. Les deux hommes réussissent l'exploit de séduire des scientifiques de haut niveau, très au fait des derniers développements de la physique atomique. Le seul problème pour les autorités anglaise et canadienne : ce sont tous des étrangers. Ainsi, Fritz Paneth (un Autrichien) est engagé pour diriger le groupe de chimie, et Pierre Auger (un Français) pour diriger le groupe de physique expérimentale. Halban et Placzek se déplacent pour interviewer différents scientifiques réfugiés aux États-Unis et qui ne sont pas employés par le projet Manhattan, les Américains se méfiant des étrangers. Les physiciens ayant collaboré avec Fermi sont une cible particulièrement intéressante. Un de ses anciens collaborateurs, Bruno Pontecorvo, cantonné par les Américains dans une compagnie pétrolière en Oklahoma, accepte avec empressement de rejoindre le groupe de Montréal.

Un tel transfert n'est pas la situation la plus fréquente. Le cas de Franco Rasetti illustre très bien les difficultés rencontrées pour constituer une équipe performante. Ce physicien qui a fui les lois raciales de Mussolini enseigne à l'Université Laval, à Québec. Son profil est très intéressant : c'est le premier et le plus proche collaborateur de Fermi. Depuis son arrivée en Amérique, il a mené des expériences sur les rayons cosmiques qui aboutiront à six publications dans des revues scientifiques. Halban et Placzek s'empressent de le contacter. Rasetti est interviewé par le duo à l'hôtel Ritz-Carlton de Montréal. Placzek le connaît bien puisqu'il a travaillé avec lui, à Rome, au début des années 1930. La rencontre se passe bien, surtout lorsque Rasetti découvre qu'un autre Italien, Pontecorvo, doit arriver incessamment. Il y a un hic : le salaire.

Franco Rasetti préféra continuer à enseigner la physique à l'Université Laval, à Québec, plutôt que de rejoindre le Laboratoire de Montréal. Paul Koenig, gracieuseté des archives visuelles Emilio Segrè, American Institute of Physics.

Dans un passage de son journal de bord de 1943, dévoilé pour la première fois dans cet ouvrage, Halban revient sur ce sujet à plusieurs reprises :

Jeudi 25 février 1943 : J'informe Mackenzie [le directeur du CNRC] que Rasetti est en principe d'accord pour se joindre à nous, mais qu'il gagne 6 000 $ à l'Université Laval à Québec et qu'il s'attend à avoir plus ici comme indemnisation pour son déménagement et en raison du coût de la vie plus élevé à Montréal. Bauer [ingénieur proche de Halban, d'origine allemande, un des premiers arrivés à Montréal], avec qui je discute de cela, pense que cela va créer de grandes difficultés administratives, comme le salaire de Rasetti est déjà très élevé.

Je suggère à Mackenzie qu'il serait possible que Rasetti soit prêté par son université, l'université payant son salaire en tant que contribution à son pays. Dans ce cas, le Conseil de la Recherche n'aurait qu'à payer une petite indemnité à Rasetti pour vivre à l'extérieur de la ville de Québec. Mackenzie pense que ce plan est réalisable.

[…]

Mercredi 31 mars 1943 – J'ai vu Placzek et plus tard, j'ai eu une plus longue conversation avec Placzek, Auger et Pontecorvo concernant Rasetti. Les trois m'assurent, au mieux de leur connaissance, que le caractère plutôt individualiste de Rasetti ne dérangerait pas le fonctionnement du Laboratoire.

[…]

Mercredi 7 avril 1943 – En après-midi, Laurence [physicien responsable du recrutement des scientifiques canadiens] nous a fait une scène, en présence d'Auger et de Placzek, concernant le salaire que nous avons l'intention de donner à Rasetti, même si cela avait été décidé lors d'une rencontre extraordinaire du Comité… Je pense toutefois qu'un point faible avec Rasetti, c'est qu'il devrait accepter de venir ici avec le même salaire qu'à Québec.

[…]

Vendredi 9 avril 1943 – … Mackenzie arrive et reste pour tout l'après-midi. Je lui montre le Laboratoire et j'ai une brève conversation avec lui à propos de Rasetti. Il m'assure une fois de plus qu'il est entièrement d'accord pour que nous l'engagions. Il serait évidemment content que son salaire ne soit pas trop élevé. Il est d'accord pour nous mettre en contact avec l'archevêque d'Ottawa au cas où nous aurions des difficultés à sortir Rasetti de l'Université Laval.

Finalement, une offre est envoyée à Rasetti le 14 avril 1943, mais ce dernier ne l'accepte pas et préfère rester à l'Université Laval jusqu'en 1947. Dans une discussion avec Oliphant (un physicien britannique), Halban dira à ce propos : « J'ai essayé d'obtenir Rasetti, au risque même d'un grave préjudice à nos relations avec les Canadiens, et il n'est finalement pas venu seulement parce qu'au dernier moment, il demandait un trop gros salaire. » Après la guerre, Rasetti dira que c'est pour des raisons morales qu'il a refusé de travailler au Laboratoire de Montréal (en raison de la production de plutonium pour une bombe), mais le journal de bord d'Halban nous laisse entrevoir une autre raison, plus pécuniaire, qui semble avoir joué un rôle au moins aussi important que sa conscience. C'est tout de même vraiment dommage pour Halban et Placzek d'avoir « loupé » Rasetti, car il y avait très peu de physiciens de son calibre et surtout de son expérience au Laboratoire de Montréal. Son embauche aurait pu donner un nouveau souffle à l'équipe. De leur côté, les Américains avaient très tôt mis la main sur Fermi qui, comme nous le verrons, leur a permis de faire des bonds de géant dans la course à la bombe. Pour compléter l'équipe, il va falloir trouver des ressources locales…

Des débuts chaotiques

Face à de telles situations, Hans Halban se résout à recruter à Montréal, même si son réseau de contacts est assez maigre. Il s'appuie alors sur une ressource locale : Pierre Demers, un des seuls Québécois francophones qui travaillera au Laboratoire. Ce physicien n'est pas inconnu des Français, puisqu'il est passé par le laboratoire de Joliot-Curie à Paris. Il est interviewé par Halban à l'hôtel Mont-Royal et rejoint le projet anglais en décembre 1942. Le recrutement des autres Canadiens est le fait de George Laurence, ancien collaborateur du grand Rutherford. Dans les années 1930, il avait d'ailleurs démarré le seul groupe de recherches nucléaires au Canada, sous l'égide du CNRC. Laurence recrutera plusieurs jeunes physiciens, mathématiciens et chimistes qui constitueront près de la moitié des employés du Laboratoire de Montréal. Il engage quelques jeunes femmes douées en mathématiques comme «calculatrices», entre autres : Joan Wilkie, Gilberte Leroux et Fernande Rioux. Elles passeront leurs journées à effectuer des opérations mathématiques pour les travaux de physique théorique du Laboratoire. Les ordinateurs n'existent pas à l'époque et l'on s'en remet aux femmes alors considérées comme ayant de meilleures capacités de concentration pour ce genre de tâches.

Les premiers travaux effectués rue Simpson sont justement plutôt théoriques, puisque le matériel nécessaire (eau lourde, uranium) n'est pas encore arrivé à Montréal.

Joan Wilkie est la première calculatrice engagée par le Laboratoire de Montréal en 1943. Son portrait a été réalisé par Alma Duncan, une amie de la famille. Bibliothèque et Archives Canada, fonds Alma Duncan et Audrey McLaren, R3209-1-6-E.

Les scientifiques publient plusieurs études au début de l'année 1943. Par exemple, le rapport MT-4[25] produit par le Laboratoire de Montréal s'intitule «Notes sur la

25. Rapport de Placzek et Volkoff (un physicien canadien recruté par Laurence).

diffusion des neutrons sans changement d'énergie». Le physicien M. R. R. Williams, dans un article récent, affirme que ce rapport est très important, car il a jeté les bases des calculs de « neutronique», la science qui étudie le comportement des neutrons dans un réacteur nucléaire. De leur côté, les chimistes se trouvent au début obligés de faire des lectures, puisqu'ils n'ont aucun matériel à leur disposition. Leur premier rapport traite des effets chimiques des radiations en présentant une synthèse des articles publiés entre 1927 et 1942.

Heureusement, le premier contingent de scientifiques britanniques, composé de 15 personnes (21 en comptant les familles), arrive le 24 janvier au soir en train en provenance d'Halifax, et un deuxième contingent, le 9 février incluant Jules Guéron, un chimiste français dont le salaire est payé par la France libre du général de Gaulle. On ne réussit pas à caser toutes ces personnes dans la villa de la rue Simpson. Les fameux barils d'eau lourde évacués de France par Halban et Kowarski ainsi que des caisses d'équipement de Cambridge débarquent le 24 février. Les scientifiques pourraient se mettre au travail, mais l'espace devient vite trop exigu. Ainsi, dans son message de bienvenue aux nouveaux arrivants, Halban annonce qu'on envisage de déménager dans des locaux plus vastes. Entretemps, ils peuvent visiter le laboratoire de la rue Simpson, mais seulement en petits groupes. Comme ils sont arrivés deux semaines trop tôt, ils vont devoir s'occuper en rencontrant d'autres membres de leur division et en lisant des rapports. On leur accorde même du temps pour se trouver un logement. L'horloge tourne et les travaux de recherche ne progressent guère.

C'est qu'en plus des problèmes d'approvisionnement et de locaux, Halban a d'autres sujets de préoccupation.

Peu de gens de son entourage le savent, mais il est obnubilé par le sort de son brevet déposé en mai 1939. Ce procédé intitulé «Perfectionnement aux charges explosives» décrit le principe d'une bombe atomique. Le document a été rédigé à quatre mains: Kowarski, Joliot-Curie et Francis Perrin, un autre physicien français, y ont également contribué. Les quatre auteurs du brevet l'ont cédé avant l'arrivée des nazis au Centre National de la Recherche Scientifique (CNRS). Dès son arrivée en Angleterre, Halban se bat pour faire reconnaître ce brevet français et sa priorité. Il consacre beaucoup d'énergie à cette question, se sentant investi d'une mission de protection des intérêts français qui lui avait été donnée verbalement par Joliot-Curie avant sa fuite vers Bordeaux. Après de longues tractations, une entente sur le partage des redevances entre les chercheurs britanniques et leurs homologues français est rédigée et signée en juillet 1942, deux ans après leur arrivée à Cambridge. À Montréal, il continue à s'investir dans ce domaine légal comme le montre son journal. En témoigne cette entrée du 23 mars 1943: «à 15 h 30, signature de 7 demandes de brevets au consulat américain». Cette question sera d'ailleurs une épine dans le pied du Laboratoire de Montréal dans sa relation avec le projet Manhattan.

Un autre sujet taraude Halban. Aussitôt que les scientifiques de Cambridge arrivent à Montréal, Halban s'enquiert de «l'affaire Kowarski». Il veut comprendre le refus de son ancien collègue de jouer les seconds rôles à Montréal et mesurer le soutien de certains physiciens. Il discute individuellement ou en groupe avec les spécialistes qui ont travaillé pour Kowarski en Angleterre. Dans un entretien révélateur de septembre 1943 avec Mark Oliphant, on devine ce qu'Halban pense de son ancien collègue et l'importance que ce sujet prend dans son esprit:

Continuant avec Oliphant, j'ai eu une longue et plaisante conversation au sujet de Kowarski… Je lui ai dit qu'après la façon dont il [Kowarski] s'est comporté lorsqu'il a essayé de convaincre les membres du laboratoire de refuser de venir ici [Montréal], et du fait qu'il n'est pas un travailleur indépendant et a grand besoin d'un chef pour s'occuper de lui, je ne vois aucune possibilité d'une collaboration réussie avec Kowarski. Oliphant m'a dit franchement que des gens comme Compton et Chadwick pensent que je suis contre Kowarski… mais je lui ai dit de regarder plutôt les gens dont j'ai obtenu la collaboration comme Placzek, Pontecorvo, Auger ou Laurence. Ils sont tous, même Laurence, excessivement plus compétents que Kowarski… Oliphant m'a demandé si Kowarski ferait un bon ambassadeur du projet au Laboratoire de Chicago. Je lui ai dit que notre ambassadeur à Chicago devait avoir mon entière confiance, et qu'il [Kowarski] ne saurait gérer les nombreuses querelles qui naissent toujours avec Chicago.

Ces débuts chaotiques du Laboratoire de Montréal sont malheureux pour le projet Tube Alloys, car du côté sud de la frontière, c'est à pleine vapeur que les projets avancent. Le groupe de Fermi en particulier résout tous les problèmes, entre autres parce que son projet se retrouve sous l'autorité de l'armée américaine. Fermi a choisi un modérateur différent de celui retenu par Halban et Kowarski : le graphite, contrairement à l'eau lourde. Il s'ingénie à construire des piles de plus en plus hautes au département de physique de l'Université Columbia à New York. Tellement hautes qu'il n'y a pas de salle assez grande au département pour que la pile puisse atteindre le stade « critique », synonyme de réactions en chaîne autoentretenues. L'armée décide alors de déménager toute l'équipe à l'Université de Chicago qui possède un grand espace (des anciens courts de squash) sous les gradins du stade de football de l'équipe universitaire. Et c'est là que, le 2 décembre 1942, le premier réacteur nucléaire au monde atteint un stade critique, ce qu'on appelle la divergence. Cet événement se produit en fin d'après-midi, alors que Fermi donne l'ordre de retirer la dernière barre au cadmium du cœur du réacteur.

Comme le rapportera Laura Fermi dans la biographie de son mari, ce même soir a lieu une grande réception dans leur maison de Chicago. À la suite des directives de l'armée, les épouses ne sont pas dans la confidence à propos du travail de leur mari, dont elles ignorent les objectifs réels. Tous les convives qui entrent chez les Fermi ce mercredi soir félicitent chaudement Enrico, à la grande surprise de sa femme. On sable le champagne et la soirée est bien arrosée. Laura essaie par tous les moyens de savoir ce qui peut rendre ces physiciens si joyeux, mais rien n'y fait. Elle ne l'apprendra qu'en août 1945...

Ironie du sort, Hans Halban est présent à Chicago lors de cette prouesse technique qui marque une victoire décisive des Américains. Ce 2 décembre 1942, il n'est pas directement aux côtés de Fermi. Il est en mission de recrutement dans la ville pour continuer à attirer les talents et poursuivre la course avec les voisins. Un de ses candidats a par contre suivi de près le grand succès du laboratoire de Chicago. Cet homme s'appelle Bertrand Goldschmidt et il jouera un des premiers rôles dans la course à la bombe...

Un laboratoire en guerre

Bertrand Goldschmidt, le nouvel atout

À Washington, le téléphone sonne au National Defense Research Committee, ce 2 décembre 1942. James Conant, président de cette organisation, dont dépend le projet Manhattan, décroche le combiné et écoute, médusé, cette phrase codée, passée à la postérité : « Vous serez intéressé d'apprendre que le navigateur italien a débarqué dans le Nouveau Monde. » Comprendre : Enrico Fermi vient de déclencher la première réaction nucléaire en chaîne de l'Histoire. Partis loin derrière les Anglais, les Américains ont désormais une longueur d'avance dans la course au nucléaire. Cette information confidentielle, censée rester confinée au projet nucléaire américain, a pourtant été captée le jour même par un jeune Français présent sur place : Bertrand Goldschmidt. Si le scientifique a bénéficié de cette primeur, c'est par un concours de circonstances improbable. Et cet enchaînement va bénéficier, contre toute attente, au projet atomique anglais, bientôt montréalais…

Pourtant, tout avait mal commencé en terre américaine pour Goldschmidt, Français d'origine juive, forcé de quitter l'Europe à l'arrivée des nazis. Une fois passé le soulagement d'avoir échappé à la barbarie allemande, les États-Unis se sont transformés en prison dorée, car ce spécialiste du nucléaire s'est vu fermer toutes les portes pendant l'année 1941. Même Fermi n'a pas pu surpasser la défiance de l'armée américaine envers les étrangers pour embaucher cet homme, formé à l'Institut du radium par les Curie. Frustré de ne pas utiliser ses compétences pourtant cruciales dans la course à la bombe, Goldschmidt a fini par accepter en janvier 1942 de faire du bénévolat à l'hôpital Memorial de New York. Difficile de refuser cette mission, puisqu'elle consistait à effectuer des mesures sur des cancéreux testant un traitement à base de phosphore radioactif. Pour Bertrand Goldschmidt, cette activité à New York va se transformer en aubaine, car il va croiser la route d'un homme prêt à tout pour recruter des scientifiques de son acabit. Ce personnage providentiel n'est autre que Hans Halban. Les deux hommes se connaissent, car ils se sont fréquentés à l'institut des Curie. Halban est en visite sur la côte est pour attirer des pontes de la physique nucléaire. Après l'avoir sermonné pour ne pas avoir été plus actif dans sa recherche de contacts français, Hans Halban promet à Goldschmidt de l'intégrer dans son groupe anglais. Quelques mois plus tard, c'est officiel: le DSIR (Department of Scientific and Industrial Research) britannique donne son accord pour engager le jeune chimiste. Hans Halban, conscient que Fermi va peut-être le doubler en lançant la première réaction en chaîne, tente un coup de poker. Il demande aux Américains de placer Goldschmidt en stage, quelques mois, au laboratoire de métallurgie de Chicago où travaille le génie italien.

Paradoxalement, l'équipe du projet Manhattan ne voit plus Bertrand Goldschmidt comme un Français, mais comme un membre d'un laboratoire britannique! Elle accepte que le chimiste s'installe à Chicago à l'été 1942.

Le pari d'Halban est donc réussi de ce côté-là. Un de ses hommes intègre une équipe rivale. Ce laboratoire est doté d'un double mandat, semblable à celui de Montréal : Enrico Fermi doit construire une pile atomique graphite-uranium, et Glenn Seaborg doit développer une méthode d'extraction du plutonium. En tant que chimiste, Goldschmidt rejoint le second groupe. On informe tout de suite Goldschmidt du caractère exceptionnel de sa tâche : il doit se familiariser avec la chimie très complexe d'un nouvel élément qui n'existe pas dans la nature et qui pourrait être un explosif d'une puissance incroyable. Goldschmidt n'a encore jamais entendu parler du plutonium. Les Américains le produisent dans des accélérateurs de particules en bombardant de l'uranium. Les quantités de plutonium ainsi obtenues sont infimes et, surtout, le processus d'extraction est difficile et risqué.

C'est à cette tâche que Goldschmidt est affecté par Glenn Seaborg. Pour extraire le plutonium, il faut d'abord éliminer le nitrate d'uranium en le dissolvant dans l'éther, un liquide très volatil qui peut exploser en présence d'une flamme. Les chimistes qui manipulent ces solutions doivent avoir les mains gantées, protégées par des écrans de plomb. Dans son journal de bord[1], Seaborg raconte que Goldschmidt omet souvent de porter les gants de caoutchouc et s'étonne qu'un chimiste avec autant d'expérience en radioactivité soit à ce point insouciant. Goldschmidt, dans son livre *Pionniers de l'atome*, commente : « Il ne savait pas combien nous négligions facilement de prendre des précautions au laboratoire Curie. » Il participe malgré tout à l'extraction finale d'environ soixante microgrammes

---

1. Glenn T. Seaborg, *Journal, 1946-1958*, Berkeley, Lawrence Berkeley National Laboratory, University of California, 1990-1991.

de plutonium, soit environ trente fois moins que le poids d'une plume d'oiseau!

Cette expérience s'avérera d'une grande utilité à Montréal. En effet, Halban et Kowarski ont pour espoir de mettre au point une pile nucléaire, comme celle de Fermi, mais qui utilise de l'eau lourde à la place du graphite. Ils savent que du plutonium sera créé, une fois la réaction lancée. Cette matière serait un raccourci idéal vers la bombe, car elle éviterait de s'empêtrer dans l'extraction de l'uranium-235. Les chimistes spécialistes de cette matière se comptent sur les doigts d'une main. L'expérience acquise par Goldschmidt est une aubaine pour le projet anglais de Montréal: il sera responsable de la section plutonium dans la branche chimie dirigée par Fritz Paneth!

Bertrand Goldschmidt va faire un autre cadeau majeur au Laboratoire de Montréal. Il va enfin lui trouver un lieu pour réaliser de véritables expériences. Un lieu vaste, à la mesure de l'équipe qui est en train de se constituer. Pour comprendre comment cette opportunité est survenue, il faut encore remonter dans le passé de Bertrand Goldschmidt, bien avant sa fuite aux États-Unis. En 1939, précisément, tandis que le bruit des canons se rapproche de la France… Juste avant de partir en voyage à Tahiti, Bertrand Goldschmidt assiste à une conférence d'un certain Pierre Auger, spécialiste des rayons cosmiques. Goldschmidt va voir ce scientifique à la fin de la conférence et lui offre d'effectuer des mesures de rayons cosmiques à différentes latitudes nord et sud, lors de son périple. Auger accepte immédiatement et lui fournit un de ses appareils de mesure ainsi qu'une brève formation dans son laboratoire de l'École normale supérieure. Le Centre National de la Recherche Scientifique, dirigé par

Henri Laugier, libère même des fonds pour qu'un collaborateur d'Auger accompagne Goldschmidt. Les mesures effectuées confirmeront la théorie d'Auger : le champ magnétique terrestre a un effet sur les rayons cosmiques.

Mais le voyage de retour est marqué par divers incidents, car la guerre s'est déclenchée entre-temps. Aux escales de Guadeloupe et de Martinique, des passagers et des membres d'équipage sont menottés et emprisonnés. Les premiers pour avoir caché de l'opium et les autres pour avoir refusé de prendre la route de la France parce qu'elle est en guerre. Le retard pris à ces deux occasions sauve probablement la vie des voyageurs : le bateau ne peut intégrer le convoi qui lui est assigné pour traverser l'Atlantique, convoi attaqué par un U-Boot qui coule un paquebot. Le navire à bord duquel se trouve Goldschmidt sillonne en zigzaguant pour que sa course ne soit pas prévisible. Il accoste à Casablanca au Maroc et finit son parcours à Marseille le 2 novembre 1939.

Après son arrivée au Canada, plus de trois ans après, Goldschmidt apprend qu'Henri Laugier, qui était directeur du CNRS français et qu'il avait côtoyé lors de cette expérimentation, est professeur à l'Université de Montréal. Goldschmidt le rencontre à l'aéroport de Dorval, par hasard, à la mi-novembre, alors qu'il part rendre visite à sa mère à New York. Henri Laugier évoque immédiatement les difficultés d'Halban pour trouver, dans la ville, des locaux qui conviendraient au laboratoire. Goldschmidt n'en revient pas qu'une telle information ait pu fuiter. Laugier insiste et lui suggère de contacter l'Université de Montréal puisque la nouvelle bâtisse sur le mont Royal est pratiquement inoccupée. C'est ainsi que le gouvernement canadien va louer deux étages de l'aile ouest du nouveau pavillon de l'université pour y installer le projet

Tube Alloys en mars 1943. Le physicien Auger connaîtra aussi ces locaux, puisque Goldschmidt suggère à Halban de le recruter comme directeur de la division de physique expérimentale du Laboratoire de Montréal. L'expérience des rayons cosmiques a servi la cause scientifique du Québec.

Déménagement à l'Université de Montréal

Le 8 janvier 1943, Halban et Goldschmidt ont une mauvaise surprise au réveil : le Laboratoire fait les gros titres d'un journal quotidien. *Montréal-Matin* lance en une : « 60 savants étrangers viennent s'établir à l'Université de Montréal pour poursuivre des recherches extrêmement importantes ». L'article est accompagné d'une photo de l'établissement, alors que le déménagement n'a même pas eu lieu. Dans l'article, on apprend que ces savants sont « pour la plupart d'origine israélite, russe, française, polonaise, tchèque et même allemande » et sont à l'université pour poursuivre des « recherches approfondies de la plus haute importance sur la radioactivité, la physique et la chimie physique sous la direction d'un grand physicien français, M. Auger, et le haut patronage du Conseil national des recherches ». La confidentialité censée entourer les recherches sur la bombe vient de voler en éclats !

Hans Halban est furieux, car c'est lui qui est censé maintenir secrètes les recherches effectuées au Laboratoire. Leslie Groves, le militaire en chef du projet Manhattan, totalement paranoïaque sur la sécurité, risque de ne pas apprécier cette farce médiatique. Le peu de confiance accordée par les Américains pourrait disparaître et mettre à mal le projet anglais. Après quelques coups de téléphone, Halban identifie le coupable : Henri Laugier, l'homme derrière le déménagement du Laboratoire sur le campus de l'Université de Montréal.

Il semble que le chercheur n'ait pas apprécié le manque de reconnaissance pour son intervention décisive. Il se fait taper sur les doigts et la censure canadienne est informée pour éviter d'autres fuites. Une semaine plus tard, Halban accompagné de Pierre Auger rencontre le recteur de l'Université de Montréal, monseigneur Roux pour discuter de cet incident. La discussion entre un réfugié athée d'ascendance juive et le très catholique recteur de l'université démarre de façon délicate. Dans son journal, Halban note : « Ce matin, avec Auger, j'ai vu Monseigneur le Recteur Roux, et l'ai remercié pour l'hospitalité de l'université. Je lui ai dit que notre projet était un effort commun Canada – Royaume-Uni ; Monseigneur a déclaré qu'il était très énervé que nous ayons été embarrassés par les activités d'un journaliste. Je lui ai expliqué notre position concernant l'interférence du Dr Laugier avec la presse. Suite à ça, notre conversation fut agréable et l'incident considéré comme clos. » L'emménagement peut enfin commencer.

L'Université de Montréal, à l'étroit dans ses locaux du Quartier latin à la fin des années 1920, vient de recevoir un nouvel établissement sur la montagne. Le bâtiment, au style Art déco, rappelle les couvents québécois. Sa symétrie de façade cache le fouillis intérieur, fait d'un entrelacement d'escaliers et de corridors en cul-de-sac. L'employée Annette Wolff décrira l'intérieur du bâtiment comme l'œuvre d'un architecte fou ! Pour ne rien améliorer, lorsque le projet Tube Alloys s'installe sur la montagne, la finition n'est pas totale : l'eau courante n'est pas disponible partout et de nombreux défauts persistent. Mais l'Université de Montréal offre à Hans Halban et son équipe, désormais pléthorique, un atout majeur : de l'espace à profusion.

C'est finalement le 27 mars que le CNRS prend possession de ses locaux dans l'aile ouest de l'université, avec plusieurs semaines de retard sur l'échéancier initial. On déménage aussitôt tous les équipements, l'eau lourde et l'uranium entreposés rue Simpson. Hans Halban se charge lui-même du transport de l'eau lourde, tâche qu'il juge primordiale. Selon les mots de Laurence : « C'était un trésor précieux. On prenait de très grandes précautions pour éviter les pertes par évaporation, même de quantités minuscules. Les gouttes qui s'échappaient étaient essuyées par des lingettes qui étaient ensuite scellées dans des conteneurs hermétiques de telle sorte que l'eau lourde puisse ensuite être récupérée[2]. » Les scientifiques arrivés depuis la mi-février ont enfin un accès quotidien au Laboratoire et de l'espace pour commencer à travailler. On poste deux policiers de la Gendarmerie royale du Canada devant l'entrée du Laboratoire et tous doivent montrer patte blanche pour y avoir accès. Les employés du Laboratoire ont accès à la cafétéria de l'université, mais on leur demande de ne pas se mêler aux étudiants[3].

Halban donne deux objectifs majeurs aux chercheurs : développer la première pile atomique (ou réacteur nucléaire comme on dit aujourd'hui) à l'extérieur des États-Unis, et travailler sur la chimie du plutonium. Les

---

2. G. Laurence, « The Montreal Laboratory », conférence présentée au dîner annuel de l'Association canadienne des physiciens, Sherbrooke, 10 juin 1966, p. 4.

3. Entrevue avec Joan Wilkie-Heal, septembre 2019.

premiers travaux de recherche s'effectuent dans l'enthousiasme. Les théoriciens, autour de Georg Placzek, calculent les propriétés du futur réacteur et la quantité d'eau lourde et d'uranium nécessaire. Les chimistes sous la direction de Paneth et Guéron mesurent les impuretés dans l'uranium, une connaissance essentielle pour savoir si des neutrons seront absorbés en grande quantité par ces impuretés. Mais très rapidement, l'enthousiasme retombe, car les matériaux nécessaires manquent cruellement, en grande partie à cause du blocage des Américains.

Le Laboratoire de Montréal possède toujours l'eau lourde sauvée par Kowarski et Halban en 1940 : environ cent quatre-vingts kilogrammes. Grâce aux expériences effectuées à Cambridge en 1941 et 1942, les théoriciens estiment qu'une quantité d'eau lourde comprise entre trois et six tonnes sera nécessaire pour un réacteur nucléaire d'envergure. Il faut donc trouver une source d'eau lourde pour poursuivre le travail. Justement, une usine semblable à celle de Vemork en Norvège est en opération au Canada, à Trail, en Colombie-Britannique. La Cominco (Consolidated Mining and Smelting Company of Canada) y produit de l'ammoniac qui sert dans la fabrication d'engrais. Elle pourrait ajouter la production d'eau lourde dans son processus. Mais les Américains sont déjà passés par là, car le projet Manhattan a les mêmes besoins de matière première.

Depuis 1942, une entente a même été signée entre Leslie Groves et la Cominco, qui accepte de fournir de l'eau lourde aux Américains au coût de production pour la durée de la guerre. En échange, un investissement, énorme pour l'époque, de 2,8 millions de dollars a été fourni pour bâtir l'installation. Elle est finalisée en juin 1943. La production d'eau lourde, qui est faible initialement (7 kg en juin 1943), augmente rapidement pour atteindre 150 kg par mois en 1944 et près de 500 kg par mois en 1945. En apprenant l'existence du contrat exclusif entre Cominco et les Américains, Halban et les Britanniques sont catastrophés.

Cette histoire se répète pour l'uranium. Une des principales mines du monde se trouve au Canada, au Grand lac de l'Ours, dans les Territoires du Nord-Ouest. Elle appartient à la compagnie Eldorado Gold Mines, dont le gouvernement est actionnaire minoritaire, comme nous l'avons déjà évoqué. Les Britanniques ont délégué au gouvernement canadien la négociation pour acquérir la production. Le ministre responsable, C. D. Howe, fait une confiance aveugle au dirigeant de la compagnie, Gilbert LaBine. Hélas, ce dernier privilégie le profit de l'entreprise et paraphe un contrat avec de riches clients : les Américains ! Ces derniers signent une entente pour acheter trois ans de production d'Eldorado et laissent, une fois de plus, le Laboratoire de Montréal sans ressources[4]. La participation étatique n'a pas pesé très lourd face aux dollars US.

Le manque cruel de matière première rend infernal le quotidien des chercheurs. Pour alimenter les expériences, Bertrand Goldschmidt a une idée. À défaut d'eau lourde et d'uranium, les équipes pourraient travailler sur le plutonium. En février 1943, voyant que les Américains accaparent les ressources, il tente sa chance en effectuant un voyage à Chicago, avec l'autorisation d'Halban. Il entre sans problème au laboratoire de Seaborg, car son laissez-passer ne lui a pas été confisqué lors de son départ. Il y est bien accueilli et retourne à Montréal avec des

---

4. Margaret Gowing, *op. cit.*, p. 184.

renseignements précieux et, dans sa poche, deux éprouvettes, l'une contenant des produits de fission et l'autre une solution dans laquelle se trouvent quatre microgrammes de plutonium[5]. Cela, au nez et à la barbe du général Groves qui n'aurait jamais approuvé un tel «prêt». L'équipe de Goldschmidt ne compte à ce moment que deux personnes, lui-même et Frank Morgan, jeune chimiste britannique, dont nous reparlerons. Ils utilisent la minuscule quantité de plutonium qu'ils possèdent pour reprendre des mesures effectuées à Chicago et confirmer les propriétés chimiques de ce nouvel élément, mais n'en ont pas assez pour tester des méthodes d'extraction. Goldschmidt sauve le labo avec ces quantités minimales de produits, mais pour se maintenir dans la course atomique, il faut nettement plus de substances. Si le lien avec les Américains n'est pas rétabli, l'aventure nucléaire montréalaise pourrait s'arrêter là.

La conférence de Québec

La bombe atomique n'a plus le même statut qu'au début de la guerre. Le projet expérimental des Anglais s'est fait doubler par les Américains. Maintenant, cette nouvelle arme pourrait même s'avérer décisive pour déterminer l'issue de la guerre. C'est donc au niveau des proches conseillers de Churchill et de Roosevelt que les discussions doivent se poursuivre. Cela tombe bien, le premier ministre britannique et le président américain se rencontrent régulièrement depuis l'entrée en guerre des États-Unis pour coordonner leurs efforts. Le prochain

---

5. Bertrand Goldschmidt, *Pionniers de l'atome, op. cit.*, p. 221.

sommet doit d'ailleurs avoir lieu dans la ville de Québec. Au début août 1943, le gouvernement canadien réquisitionne le Château Frontenac pour y loger les délégations britanniques et américaines en vue d'une conférence au sommet. L'hôtel Clarendon est également mobilisé pour y loger les quelque 150 journalistes couvrant la conférence ainsi que le bureau canadien de la censure, qui lit tout communiqué avant sa publication. Winston Churchill accoste à bord du Queen Mary à Halifax, d'où il prend le train jusqu'à la gare de Charny sur la rive sud du fleuve. Il traverse le pont de Québec en voiture le 10 août et loge avec son épouse et sa plus jeune fille au rez-de-chaussée de la Citadelle de Québec, deuxième résidence officielle du gouverneur général du Canada. C'est là également que s'établissent Roosevelt et son épouse à partir du 17 août et pour la durée de la conférence, soit jusqu'au 24[6].

Churchill propose que le premier ministre du Canada, Mackenzie King, soit présent à toutes les rencontres, mais cette suggestion est refusée par les Américains, qui craignent un précédent pour les futures réunions. Mackenzie King ne participera pratiquement qu'aux seules rencontres protocolaires. Le but de la conférence est de planifier la stratégie militaire contre l'Allemagne et le Japon pour les mois à venir. La décision est prise d'intensifier les bombardements alliés contre l'Allemagne et de concentrer les attaques contre l'Italie afin d'obtenir une reddition inconditionnelle. On commence également à planifier le débarquement de Normandie.

---

6. B. Ricard-Châtelain, « Quand l'histoire s'est écrite à Québec », Le Soleil, 17 août 2013.

C'est lors de la conférence de Québec en août 1943 que Winston Churchill et Franklin D. Roosevelt signèrent un accord secret de coopération nucléaire. Le premier ministre canadien William Lyon Mackenzie King (premier à gauche) ne put participer qu'aux événements protocolaires. William George Horton, photographe officiel de guerre, gouvernement du Royaume-Uni.

En marge de la conférence, un accord secret est signé pour coordonner le développement des recherches atomiques : « Entente régissant la collaboration entre les autorités des États-Unis et du Royaume-Uni en ce qui concerne Tube Alloys[7]. » Le projet des Anglais est ainsi partiellement intégré au projet Manhattan. Les Britanniques acceptent de mettre à la disposition des Américains plusieurs de leurs scientifiques. En échange, ils reçoivent des copies de tous les rapports américains du projet Manhattan et une promesse d'eau lourde et d'uranium pour le Laboratoire de Montréal. Les Anglais sont tellement pressés de reprendre les échanges avec les Américains que quatre de leurs principaux physiciens (Chadwick, Peierls, Simon et Oliphant) arrivent à Washington par avion, le jour même de la signature de l'accord de Québec, le 19 août 1943.

Malgré ces dispositions, la collaboration américaine se fait attendre, principalement à cause des réticences du général Groves, qui voit d'un mauvais œil ce groupe hétéroclite de savants provenant de plusieurs pays européens. Il se méfie particulièrement des Français, soupçonnés, selon lui, de fuites et d'indiscrétions mettant en danger la sécurité du projet. Il a également peur que, parmi les « étrangers » (c'est-à-dire de nationalité autre qu'américaine, britannique ou canadienne), se cachent des communistes qui informeraient secrètement l'Union soviétique. Comme nous allons le voir plus loin, il n'a pas complètement tort, mais ses préjugés lui ont énormément nui pour identifier les vrais auteurs de fuites,

---

7. « Agreement Governing Collaboration between the Authorities of the U.S.A and the U.K. in the matter of Tube Alloys », traduction de l'auteur ; annexe 4 de M. Gowing, *op. cit.*, p. 439.

en particulier vers l'Union soviétique. Juste après la fin de la conférence de Québec, en septembre 1943, un des physiciens les plus respectés au monde, Niels Bohr, s'échappe du Danemark en compagnie de son fils alors qu'il est recherché par les nazis. Il est enrôlé par les Britanniques dans le projet Tube Alloys et fait partie d'un contingent, trié sur le volet, qui est envoyé au laboratoire de Los Alamos, haut lieu des recherches américaines. À défaut de bâtir leur propre bombe avant la fin de la guerre, les Anglais espèrent maintenant affiner leurs connaissances pour démarrer rapidement leur programme nucléaire après la guerre.

Niels Bohr est le plus grand physicien du 20e siècle après Albert Einstein. Il est l'un des fondateurs de la mécanique quantique et il créa un institut à Copenhague qui fut une pépinière de prix Nobel. Il fut engagé par le projet Tube Alloys et séjourna à Montréal.
Paul Ehrenfest, gracieuseté des archives visuelles Emilio Segrè, collection Ehrenfest, American Institute of Physics.

Les Américains, et en particulier le général Groves, posent une condition supplémentaire à une saine collaboration : ils souhaitent le remplacement de Hans Halban par un Britannique à la tête du Laboratoire de Montréal. Les Américains apprécient assez peu le personnage. Premièrement, ils sont furieux des demandes de brevets qu'Halban a déposées en Angleterre (notamment en compagnie de Kowarski) et surtout de ses tentatives de déposer des brevets aux États-Unis. Ils considèrent que ces requêtes sont nuisibles et entravent la transmission d'informations confidentielles de la part du projet américain. Deuxièmement, l'intégration partielle de Tube Alloys au projet Manhattan requiert un Britannique à la tête du Laboratoire de Montréal et non un étranger enclin, d'après eux, à favoriser les intérêts de la France.

Les Américains réclament la tête d'Halban, qui en outre, ne peut pas compter sur le soutien de ses équipes. Plusieurs employés du Laboratoire de Montréal l'accusent carrément de freiner les activités scientifiques. Son attitude parfois hautaine, son train de vie luxueux et ses critiques dévastatrices l'ont éloigné des savants qui l'entouraient. La lecture du journal personnel du chercheur illustre sa vision. Au fil des pages, il critique par exemple régulièrement le scientifique canadien George Laurence, qu'il considère comme inefficace. Il insinue que Laurence ne fait pas preuve de diligence pour recruter des scientifiques canadiens et qu'il ne comprend pas les bases de la physique neutronique. Pourtant, Laurence était, avec Pierre Demers, l'un des seuls scientifiques canadiens ayant de l'expérience en physique atomique avant la guerre. Il a travaillé au laboratoire Cavendish à Cambridge, dans les années 1930, sous la direction d'Ernest Rutherford.

De plus, les lettres conservées aux Archives nationales du Canada infirment les dires d'Halban. Laurence a travaillé sans relâche à la fin 1942 et dans les premiers mois de 1943, écrivant plus d'une centaine de missives afin de recruter des scientifiques canadiens pour le Laboratoire de Montréal[8]. Plusieurs de ses « prises » auront des carrières importantes par la suite, comme George Volkoff, Jeanne LeCaine-Agnew (voir encadré) et Harry Thode. En tout, il recrute plus d'une vingtaine de jeunes chimistes, physiciens et mathématiciens dans les premiers mois de l'année 1943. Même longtemps après les faits, on peut mesurer l'animosité qui existait entre Laurence et Halban par les phrases suivantes, prononcées par Laurence dans une conférence de l'Association canadienne des physiciens : « Von Halban n'était pas habitué à la gestion canadienne des affaires. Le personnel administratif à Ottawa était également peu habitué à la basse noblesse d'Autriche. On parlait du Laboratoire de Montréal comme d'un asile de fous – pas un asile ordinaire, mais un qui aurait été géré par les patients[9]. »

Après la conférence de Québec, Halban se débat, téléphone à Ottawa, télégraphie à Londres et participe à des rencontres à Washington. Sa réaction est vaine : il perd de plus en plus le contrôle du Laboratoire. Même du côté personnel, sa vie subit des changements importants. À son arrivée à Montréal, Halban est marié depuis neuf ans avec une grande bourgeoise néerlandaise :

---

8. « National Research Council – Correspondance (1942-1943) », Bibliothèque et Archives Canada, fonds George C. Laurence, R15952-89-7-E.

9. G. Laurence, *The Montreal Laboratory*, conférence présentée au dîner annuel de l'Association canadienne des physiciens, Sherbrooke, 10 juin 1966.

Els Andriesse, et ils ont une jeune fille de 3 ans, Mauld Halban. La jeune famille a vécu ensemble des moments très stressants lors de l'invasion de la France par les Allemands, qui a entraîné leur fuite périlleuse. Leur couple a réussi à surmonter cette période agitée, mais arrivés à Montréal pour des raisons troubles, les Halban se séparent. Les deux parties restent discrètes, mais tout se sait rapidement dans la petite communauté et on s'étonne que le couple Halban vive séparément. Une histoire cocasse vient enfoncer le clou. À l'automne 1943, Georg Placzek, en quelque sorte le bras droit d'Halban au Laboratoire, annonce qu'il se fiance avec Els Andriesse et qu'ils s'apprêtent à se marier! Le tout semble se faire sans acrimonie. Bertrand Goldschmidt trouve cette situation des plus comiques, et il invente un terme pour désigner la nouvelle relation qui unit Halban et Placzek : ils sont des beaux-maris!

Pour lui changer les idées, Goldschmidt, qui n'est jamais en manque d'inspiration, invite Halban à une fin de semaine de ski dans les Laurentides en compagnie d'une de ses amies venue expressément de New York. C'est ainsi qu'Halban rencontre Aline de Gunzburg, une jeune veuve très fortunée (sa famille possédait, entre autres, le Ritz à Paris et des raffineries de pétrole en Europe). Le courant passe entre les deux et, peu de temps après, ils se marient à New York. Aline déménage à Montréal avec son jeune fils Michel dans une maison que vient de louer Halban, au 1297, Redpath Crescent, au pied du mont Royal. C'est une maison devenue célèbre dans l'histoire du Québec puisque c'est là qu'habitait James Cross lorsqu'il fut enlevé par la cellule Libération du Front de libération du Québec, le 5 octobre 1970, déclenchant ainsi la crise d'octobre. La vie tourmentée de Hans Halban le positionne mal aux yeux de sa hiérarchie et de son équipe. Rien ne peut à ce stade entraver la volonté des Américains et sauver le soldat Halban…

Els Andriesse se sépare de Hans Halban et se remarie en 1943 avec le physicien Georg Placzek, le bras droit d'Halban au Laboratoire de MontréalMontréal. On les voit ici probablement à l'entrée du Ritz-Carlton. Photographe inconnu, A. Gottvald, M. Shifman, *George Placzek, a nuclear physicist odyssey*, Singapour, World Scientific Publishing Co., 2018, p. 44. Aleš Gottvald, archives personnelles de Michael Fuhrmann.

Pierre Demers

Pierre Demers est un des seuls scientifiques canadiens-français (comme on disait à l'époque) qui ait travaillé au Laboratoire de Montréal. C'est un personnage haut en couleur. Jusqu'au dernier moment, il s'est impliqué dans les causes qui lui tenaient à cœur, l'indépendance du Québec et la place du français dans la science.

Il passe une partie de son enfance en France, à Paris, puis dans le sud près de Cannes, où il fait ses études primaires, car ses parents rêvent de vivre en Europe. La famille Demers revient à Montréal en 1925. Pierre fait son cours classique chez les jésuites, aux collèges Sainte-Marie et Jean-de-Brébeuf, cours qu'il termine en 1933. Il s'intéresse rapidement aux sciences. Inscrit à l'Université de Montréal, il obtient au cours des années 1930 des licences en physique et en mathématiques, ainsi qu'une maîtrise en chimie sous la direction de Léon Lortie. En 1938, il reçoit une bourse du gouvernement du Québec pour aller étudier à Paris. Il entre à l'École normale supérieure, une des institutions universitaires et de recherche les plus prestigieuses de France, où enseigne Pierre Auger, puis au laboratoire atomique du Collège de France. Dans cette institution, il travaille sous la supervision de Joliot et Hans Halban et il côtoie Lew Kowarski. Il s'initie à une technique de détection des particules élémentaires sur film, ce qui lui sera très utile à Montréal. En juin 1940, comme toute l'équipe de Joliot, il est forcé de quitter Paris à cause de l'invasion allemande. Il se dirige vers le sud, traverse l'Espagne et, comme des milliers d'autres personnes, s'embarque à Lisbonne en direction de New York.

De retour au Québec, il est engagé par la CIL (Canadien Industries Limited) – qui n'est autre que la maison mère de DIL dont nous avons parlé – au laboratoire de recherche et développement de son usine d'explosifs à Belœil. Fin 1942, il se joint au Laboratoire de Montréal, car il est recruté par le directeur Hans Halban. Il y travaille pendant le reste de la guerre au sein du groupe de physique expérimentale sous la direction de Pierre Auger puis d'Alan Nunn May. Il est l'auteur de onze rapports produits par le Laboratoire dans les domaines suivants : sources de neutrons polonium-béryllium et radium-béryllium, détection de neutrons par émulsions photographiques, et chaîne de décroissance du neptunium. Il convainc aussi plusieurs membres du laboratoire de donner des conférences lors de réunions à la Société de physique et de chimie de Montréal. De novembre 1944 à mars 1945, six scientifiques vont intervenir pour parler de sujets allant des météorites (Fritz Paneth) à la chimie des produits radioactifs (Bertrand Goldschmidt).

Dans son travail au Laboratoire de Montréal, Pierre Demers est coauteur d'un rapport majeur sur la chaîne de décroissance du neptunium. C'est une découverte importante puisqu'il n'existe que quatre chaînes de décroissance radioactive ; les trois autres sont celles de l'uranium-238, de l'uranium-235 et du thorium-232. Cette recherche sur le neptunium détonne un peu dans les travaux effectués au Laboratoire de Montréal puisqu'elle n'a pas d'utilité pratique directe.

Après la guerre, Pierre Demers est engagé comme professeur de physique à l'Université de Montréal en même temps qu'il termine son doctorat en physique à Paris. Dans son jury de thèse, on retrouve Pierre Auger. Pierre Demers enseignera la physique de 1947 à sa retraite, en 1980.

Une photo unique du groupe de physique expérimentale du Laboratoire de Montréal en septembre 1945 sur laquelle on voit Bruno Pontecorvo, Alan Nunn May, Pierre Demers et Lew Kowarski. De gauche à droite, première rangée: Anne Barbara Underhill, Sara Courant, E. Marks, Jean Clark, Mary Dysart, Jill Organ; deuxième rangée: Gertrude Soleman, Harriet Anderson, Bernice Sargent, Alan Nunn May, Bruno Pontercorvo, Yvette Diamond, Freda Kinsey; troisième rangée: Ernest Courant, John Jelley, Dudley Borrow, Ted Hincks, Lloyd George Elliott, John Vernon Dunworth, Gordon Graham, David West, John Harvey; quatrième rangée: Solly Gabriel Cohen, Patrick Cavanagh, Pierre Demers, Ron Maskell, Heinz Paneth, Neil Niemi, John Bayly, Denys Booker, Brian Flowers, Alan Munn, Louis Nirenberg, Lew Kowarski, Ted Cranshaw, George Volkoff. Photographe inconnu, Conseil national de recherches du Canada, archives personnelles d'Irène Kowarski.

Il a continué à utiliser la technique de détection de particules qu'il a apprise au Collège de France dans les années 1930 pour étudier les rayons cosmiques et le rayonnement solaire. Personnage un peu excentrique, Pierre Demers s'est intéressé par la suite à deux sujets qui ne sont pas «à la mode» dans les départements de physique de la deuxième moitié du 20e siècle : la couleur et le tableau des éléments périodiques. Ce n'est pas tant les sujets eux-mêmes que la manière dont il les a traités qui est originale.

Il fonde, avec quelques enseignants du collégial et des artistes, dont le peintre Alfred Pellan, le Centre québécois de la couleur, qui «contribue à rapprocher les milieux scientifiques, artistiques et même industriels autour du thème de la couleur».

Dans les années 1990, il propose un nouvel arrangement du tableau périodique qui, au lieu d'être en colonnes et en lignes parallèles selon la représentation classique, est organisé en spirale. Dans cette représentation, le nombre maximal d'éléments possibles est de 120. Le professeur Demers propose dans les années 1990 que l'élément 118 soit nommé le québécium, «en l'honneur de sa patrie». Cet élément s'appelle, depuis novembre 2016, l'oganesson en l'honneur de Iouri Oganessian, directeur du laboratoire où ont été créés plusieurs éléments superlourds, à Dubna, en Russie. Selon la coutume, c'est l'équipe qui synthétise un nouvel élément qui en choisit le nom pour le tableau périodique.

Pierre Demers a développé une idée intéressante avec sa nouvelle organisation du tableau périodique, mais comme ce fut le cas de beaucoup de ses initiatives, il n'a pas su convaincre une large communauté.

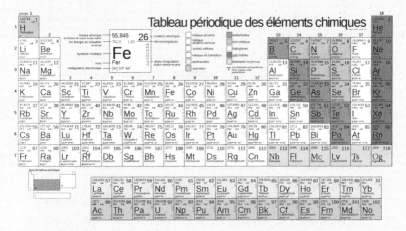

Le tableau périodique des éléments. L'élément 118, dont le nom est oganesson depuis décembre 2015, aurait dû s'appeler, selon Pierre Demers, québécium. Création collective dans Wiki Commons.

Dans le domaine social, Pierre Demers s'est fait connaître par sa défense incessante de la langue française, en particulier de son utilisation dans le contexte scientifique. Il n'a jamais accepté que l'anglais soit devenu la langue d'usage en sciences. En 1980, il a fondé avec neuf autres personnes, dont le sculpteur Armand Vaillancourt, la Ligue internationale des scientifiques pour l'usage de la langue française (LISULF), qui fait la promotion du français dans les sciences. Cette association organise chaque année une manifestation intitulée « Pasteur parlait français », au carré Pasteur, rue Saint-Denis à Montréal. Je suis allé à l'une de ces manifestations en 2013. Monsieur Demers, alors âgé de 98 ans, y était et a fait un discours d'une voix assez forte. Il appelait tous les scientifiques francophones à publier leurs textes dans des revues francophones. Pierre Demers est décédé le 29 janvier 2017 à l'âge de 102 ans.

Contrairement à ce qui est parfois avancé, Pierre Demers n'est pas le seul Québécois francophone (ou Canadien français, selon l'usage de l'époque) à avoir travaillé au Laboratoire de Montréal. Il y a Jacques Hébert (1923-2013), qui est l'auteur de six rapports du Laboratoire de Montréal sur l'extraction du plutonium et de l'uranium-233. Après la guerre, il a été engagé comme professeur de physique à l'Université d'Ottawa où il a enseigné pendant plus de quarante ans. On retrouve aussi le physicien Paul Lorrain, le chimiste Adrien Cambron, l'ingénieur Adrien Prévost, les calculatrices Gilberte Leroux et Fernande Rioux, ainsi que de nombreuses assistantes administratives.

La situation se débloque

Malgré l'accord signé par Roosevelt et Churchill en août 1943, de gros nuages s'amoncellent toujours au-dessus de Montréal. Le général Groves traîne les pieds, et les clauses de l'accord restent à l'état de promesses. La nomination de James Chadwick comme représentant britannique à Washington va éclaircir l'horizon du Laboratoire. Le découvreur du neutron, prix Nobel de physique en 1935, déménage à Washington et devient le point de contact entre les deux pays. La première rencontre de ce surdoué de la physique avec le général Groves a lieu peu après la conférence de Québec. Groves vient, pour la première fois, à la tête d'une délégation américaine qui souhaite inspecter le Laboratoire de Montréal, le 18 septembre 1943. L'enjeu est de taille :

il faut démarrer les négociations pour établir les bases de la collaboration entre les deux projets. Les réunions se poursuivent au cours de l'automne, sans que l'on parvienne à débloquer des ressources pour Montréal. La relation de Chadwick avec Groves va s'avérer déterminante. De façon très surprenante, cet homme introverti et en général peu à l'aise dans les contacts humains se lie d'amitié avec le général Groves. Les deux hommes forment un duo assez disparate. Groves prend ses décisions au quart de tour et n'hésite jamais à révéler le fond de sa pensée à ses interlocuteurs, quitte à les brutaliser. Chadwick, de son côté, aime ressasser toutes les informations importantes, souvent pendant des jours, avant d'arrêter sa décision. Le tout en faisant toujours preuve d'une politesse parfois même excessive.

Lors d'une réunion cruciale du comité tripartite, Canada-États-Unis-Angleterre, sur l'avenir du Laboratoire de Montréal, on assiste à un curieux ballet. Avant la rencontre, des négociations intenses ont lieu pour clarifier les objectifs du groupe de recherche et garantir la contribution américaine. Du côté canadien, on trouve entre autres Mackenzie, le directeur du CNRC, et bien sûr Halban, même si son statut est précaire. Les Américains sont représentés en force avec un conseiller spécial de Roosevelt et l'incontournable Groves. Les Britanniques, eux, peuvent compter sur Chadwick. Le début de la réunion est catastrophique pour le Laboratoire de Montréal. Les Américains présentent une ébauche d'entente dans laquelle on maintient en quelque sorte le statu quo. C'est quasiment une mort annoncée pour le projet canadien. Chadwick se lève et discute à voix basse avec Groves. Les deux hommes quittent la salle, laissant les autres en plan. Au bout d'une vingtaine de minutes, ils reviennent avec un nouvel accord que tous s'empressent d'accepter. Chadwick a fait plus que sauver les meubles : il a garanti un avenir au Laboratoire de Montréal. Celui-ci, comme prévu dès le début par Halban, aura pour objectif de développer un réacteur nucléaire uranium-eau lourde et une méthode de séparation du plutonium. Un pied dans l'énergie, l'autre dans la bombe : le plan de départ des Anglais est respecté.

Après toutes ces péripéties, ce n'est finalement qu'au début de 1944 que l'accord de Québec est vraiment respecté et que les recherches prennent leur envol dans la métropole canadienne. À partir de ce moment, il y a de nombreux allers-retours entre Montréal et Chicago. Les chercheurs venus du Canada se voient ouvrir grand les portes du nouveau campus d'Argonne (à une cinquantaine de kilomètres à l'ouest de l'Université de Chicago), le sous-sol des gradins du stade de football ne convenant plus à l'ampleur des recherches américaines. Les rapports de voyage du Laboratoire de Montréal montrent que des groupes de chercheurs montréalais ont effectué neuf allers-retours distincts à Chicago entre les mois d'octobre 1943 et juin 1944[10]. Et c'est sans compter les visites des chercheurs américains à Montréal au cours de la même

---

10. Les rapports de voyage sont : F. A. Paneth, « Report on the visits to Chicago, Toronto and Hamilton, 2022 Oct. 1943 », CI-23 ; « Report on the visit to Chicago on 8 Jan. 1944 », AB 2/638 archives nationales du R.-U. ; R. E. Newell, « Visit to Argonne Forest – 9 Jan. 1944 », AB 2/135 archives nationales du R.-U. ; H. G. Thode, « Chicago trip, 25-27 Jan. 1944 », CI-38 ; B. W. Sargent, « Report on visit to Chicago 29 Feb. – 10 Mar. 1944 », AB 2/639, archives nationales du R.-U. ; A. N. May, « Visit to Chicago 13-27 April 1944 », AB 2/650, archives nationales du R.-U. ; A. G. Maddock, « Chicago discussions of 5-8 June, 1944 », CI-54 ; W. J. Arrol, « Report on a visit to Chicago 7-14 June, 1944 », CI-49.

période. Par contre, Groves interdit la présence des chercheurs de Montréal sur les sites les plus secrets du projet
Manhattan, spécialement Los Alamos, où les différents
modèles de bombes sont testés.

La chute d'Halban se produit graduellement. Il est
rapidement entendu qu'il sera remplacé comme directeur
du Laboratoire de Montréal, ce qu'il finit par accepter à
contrecœur. Après tout, il est à l'origine de la création
de cet institut de recherche. Son initiative et sa prise de
risque ont été occultées par son incapacité à maîtriser
son équipe. En décembre, Groves admet qu'il veut
qu'Halban soit remplacé par un Britannique, et le nom
d'un certain John Cockcroft est avancé. Ce dernier, qui
travaille sur les radars, ne peut rejoindre immédiatement
Montréal. Il finit par arriver au Québec le 26 avril 1944
et passe sa première journée avec Pierre Auger, le directeur
du groupe de physique expérimentale qui lui raconte les
problèmes techniques et humains de la dernière année
et demie.

Le lendemain, Halban présente Cockcroft aux responsables des différents groupes en leur disant qu'il est venu
l'assister pour la gestion administrative du laboratoire.
Cockcroft s'empresse, sans s'énerver, de rectifier les faits
en déclarant sans ambiguïté qu'il est le nouveau directeur
du Laboratoire et qu'il confie à Halban la direction de
la division de la physique expérimentale[11], puisque Auger
est sur le point de quitter Montréal, rappelé par le général
de Gaulle. Halban occupera ce poste dans les faits de
façon plutôt théorique, et la gestion au jour le jour du
groupe de physique expérimentale sera plutôt le fait d'Alan
Nunn May, un autre physicien anglais dont nous

---

11. B. Goldschmidt, *Pionniers de l'atome, op. cit.*, p. 255.

reparlerons plus en détail. Comme le mentionne Bertrand Goldschmidt : « Halban avait ainsi perdu, mais sans indignité, la manche de sa gestion du laboratoire de Montréal[12]. » À partir de ce moment, les effectifs du laboratoire vont augmenter de façon importante pour atteindre jusqu'à 400 personnes et les projets vont débouler les uns après les autres.

Le physicien Pierre Auger au Laboratoire de Montréal en juin 1944 songe à l'avenir qui l'attend dans la France en train d'être libérée par les Alliés. Photographe inconnu, Conseil national de recherches du Canada, album familial de la famille Cockcroft.

---

12. *Ibid.*

Hans Halban ne put retourner travailler comme physicien en France pendant huit ans après la fin de la guerre. On le voit ici lors d'un congrès à la fin des années 1950. Photographe inconnu, archives personnelles de Philippe Halban.

Jeanne LeCaine-Agnew
et les femmes dans le Laboratoire

L'absence de matières premières et de direction claire n'a pas empêché tous les scientifiques de travailler. Le cas de la théoricienne Jeanne LeCaine-Agnew est particulièrement intéressant pour percevoir ce travail de l'ombre et l'implication des femmes dans le Laboratoire.

Cette contribution a été largement ignorée, voire niée. C'est ainsi que Marianne Gosztonyi Ainley et Catherine Millar de l'Institut Simone-de-Beauvoir de l'Université Concordia, deux féministes qui ont fait des recherches sur les femmes scientifiques du Canada au 20e siècle, affirment, dans un article de 1991, que «le projet d'énergie atomique, malgré le fait qu'il comptait trente physiciens, n'employait pas de femmes[13]». Dans la même veine, la plaque officielle à l'Université de Montréal, dévoilée par le duc d'Édimbourg en 1962 en mémoire de l'effort de recherche atomique durant la guerre, donne seulement le nom de scientifiques masculins.

Jeanne LeCaine fait l'expérience d'un semblable mépris lors de ses études. Elle réalise un parcours sans faute en empochant son baccalauréat et sa maîtrise en mathématiques en quatre ans seulement à l'Université Queen's de Kingston, en Ontario. Le directeur de la thèse qu'elle projette de mener à Harvard refuse dans un premier temps de travailler avec elle, déclarant : «la dernière fois

---

13. M. Gosztonyi Ainley, C. Millar, «A Select Few : Women and the National Research Council of Canada, 1916-1991 », *Scientia Canadensis : revue canadienne d'histoire des sciences, des techniques et de la médecine*, vol. 15, n° 2 (41), 1991, p. 105-116.

que j'ai supervisé une femme, elle s'est mariée et a eu cinq enfants[14]. »

Jeanne n'est pas du genre à se laisser arrêter par la misogynie ambiante et elle obtient son Ph. D. en 1941 à Harvard, où elle rencontre son mari, qui sera mobilisé. Jeanne LeCaine-Agnew décide alors de faire sa part dans l'effort de guerre et de revenir au Canada. Elle est engagée par le Conseil national de recherches du Canada à Ottawa, où travaille son frère Hugh. Après de nombreuses tractations de George Laurence, son patron au CNRC accepte de la libérer et, après une entrevue avec Placzek, elle est transférée à Montréal au sein du projet Tube Alloys. Elle y partage un bureau avec Carson Mark, un jeune mathématicien canadien qui travaille sur la théorie du transport des neutrons, sous la direction de Placzek.

Elle fait partie du groupe restreint de physiciens et de mathématiciens qui jettent les bases de la physique des réacteurs nucléaires toujours en utilisation aujourd'hui. Jeanne LeCaine est, entre autres, coautrice du rapport *Approximations élémentaires dans la théorie de la diffusion neutronique*[15]. Pour les aider dans leurs calculs (par exemple pour calculer les quantités d'eau lourde et d'uranium nécessaires, ainsi que leurs dispositions dans le réacteur), les théoriciens s'entourent d'un groupe de calculatrices, comme évoqué plus haut. Jeanne se sent proche de ces femmes qui effectuent minutieusement à

---

14. J. Parr [dir.], *Still Running: Personal stories by Queen's women celebrating the fiftieth anniversary of the Marty Scolarship*, Queen's University Press, 1987.

15. P. Wallace, J. LeCaine, « Elementary Approximation in the Theory of Neutron Diffusion », MT-12, archives nationales du R.-U., AB 2/499, 1943.

longueur de journée des calculs mathématiques. Elle se lie d'amitié en particulier avec Joan Wilkie et les deux femmes resteront amies toute leur vie durant[16].

La mathématicienne Jeanne LeCaine retrouve son mari Theodore Agnew à la fin de la guerre après 27 mois de séparation. Photographe inconnu, archives personnelles de la famille LeCaine-Agnew.

---

16. Entretien avec J. Wilkie-Heal, Southampton, septembre 2019.

Une nouvelle ère pour le Laboratoire

Une transition bénéfique vers l'énergie

L e comité MAUD a été visionnaire. Dès 1940, ce groupement de scientifiques a établi que l'avenir du nucléaire partirait dans deux directions majeures : le militaire et le civil. Mais, en 1942, les Anglais ont compris qu'ils ne feraient pas cavalier seul dans la fabrication de la bombe. Pire, ils se sont vus cantonnés à un rôle subalterne par les Américains. Côté énergie, les perspectives sont plus attrayantes. D'autant que Hans Halban et son partenaire Kowarski n'ont jamais cessé leurs expérimentations pour concevoir un réacteur utilisant l'eau lourde comme modérateur. La majorité des employés du Laboratoire de Montréal a d'ailleurs été affectée à cet objectif. La mise à l'écart d'Halban ne va pas entraver la poursuite de cette mission, bien au contraire…

Dès l'arrivée de Cockcroft en avril 1944, on sent une atmosphère différente au Laboratoire. Cockcroft est bien connu et surtout respecté des scientifiques du Laboratoire. Il a une formation à la fois d'ingénieur, de mathématicien et de physicien. C'est un autre des « poulains » de Rutherford, puisqu'il a obtenu son doctorat en 1925 au laboratoire Cavendish. Ses habiletés mathématiques seront d'une grande utilité dans sa carrière. À la fin des années 1920, Cockcroft a par exemple calculé l'énergie nécessaire pour qu'un proton entre en collision avec le noyau d'un

C'est grâce à l'accélérateur de particules Cockcroft-Walton créé au laboratoire Cavendish dans les années 1930 que John Cockcroft établit sa réputation comme physicien avant de devenir directeur du Laboratoire de Montréal en 1944. Wikimedia Commons, utilisateur : Geni, 2012.

atome et le «casse». Son grand fait d'armes est l'invention d'un accélérateur de particules, qui a déclenché la découverte du neutron par Chadwick.

La science a déjà mis à profit l'inventivité de ces deux hommes, qui se retrouvent maintenant au service du même projet montréalais. Au début de la guerre, Cockcroft a été nommé assistant-directeur de la recherche scientifique au ministère de l'Approvisionnement, travaillant principalement sur le radar. Il a fait partie du comité MAUD à l'origine de l'entreprise atomique anglaise. À la suite de la conférence de Québec, William Akers, directeur de Tube Alloys, l'approche à la fin de 1943 pour remplacer Hans Halban comme directeur du Laboratoire de Montréal. Cockcroft accepte et déménage avec sa famille (son épouse Eunice Elizabeth et leurs cinq enfants) à Montréal. Il arrive d'abord seul en avril 1944 et s'installe temporairement à l'hôtel Ritz-Carlton. Sa famille vient le rejoindre au cours de l'été et ils occupent une grande maison à colombages de Westmount offrant une superbe vue sur la ville et le fleuve Saint-Laurent.

Cockcroft s'attelle tout de suite à doter le Laboratoire de personnel et d'équipement supplémentaires. Il a en tête la conception et la construction d'un grand réacteur nucléaire à l'eau lourde : le NRX, acronyme anglais signifiant National Research eXperimental pour recherche nationale expérimentale. L'atome doit servir à fournir une énergie plus propre que le charbon. Les épisodes de smog sont alors courants dans les villes. L'épaisse fumée qui recouvre l'horizon nuit à la santé des habitants. La ville de Saint-Louis au Missouri a par exemple dû laisser ses lampadaires allumés toute la journée pendant un tel épisode en 1939. Cette même année, l'équipe de Joliot-Curie a justement rédigé un brevet sur la production d'énergie par une pile atomique.

John Cockcroft prit cette photo de ses cinq enfants sur le parvis de leur maison peu de temps après leur arrivée à Montréal (Thea, Jo, Elizabeth, Cathy et Christopher) en 1944. John Cockcroft, album familial de la famille Cockcroft.

John Cockcroft et sa fille Joan Theodora (Thea) se préparant à skier à Sainte-Adèle en 1944. Photographe inconnu, album familial de la famille Cockcroft.

Fermi et ses «garçons» de la rue Panisperna ont fait de même à Rome. On espère que l'énergie nucléaire mettra un terme à ce problème de pollution au charbon. D'autant que de faibles quantités d'uranium produisent apparemment de grandes quantités de courant. L'énergie générée par un kilogramme d'uranium est équivalente à celle d'environ 20 tonnes de charbon! Beaucoup de problèmes techniques restent toutefois à résoudre avant de pouvoir connecter un réacteur nucléaire au réseau électrique.

Cockcroft et les ingénieurs du Laboratoire sont aux prises avec un problème majeur: aucun réacteur à l'eau lourde de la taille du NRX n'a été construit jusqu'à maintenant. C'est un peu comme si les frères Wright s'étaient lancés dans la construction d'un bombardier sans passer par la case des avions-planeurs... Beaucoup de données nécessaires à la construction du grand réacteur ne sont pas connues ou demeurent très imprécises. On ignore par exemple l'espacement exact entre les barres d'uranium, qui détermine pourtant la taille du réacteur, donc la quantité d'eau lourde et de béton nécessaire. Au début de 1944, Alan Nunn May, un des physiciens britanniques, propose une solution pour résoudre l'équation. Il suggère de construire un petit réacteur modèle, de très faible puissance, permettant justement de prendre des mesures et de tester différentes configurations[1]. Ce serait en quelque sorte une répétition avant la grande aventure du NRX. Cette proposition est envoyée à Halban, le désormais directeur du groupe de physique expérimentale, qui en

---

1. A. Nunn May, «Proposed use of a polymer pile at very small powers for the investigation of critical dimensions», *PD-97*, archives nationales du R.-U., AB 2/653, 1944 [note: «*polymer*» est le nom de code utilisé au Laboratoire de Montréal pour l'eau lourde].

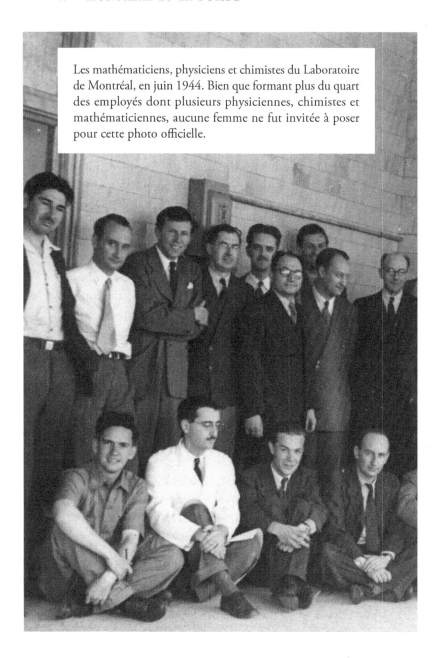

Les mathématiciens, physiciens et chimistes du Laboratoire de Montréal, en juin 1944. Bien que formant plus du quart des employés dont plusieurs physiciennes, chimistes et mathématiciennes, aucune femme ne fut invitée à poser pour cette photo officielle.

Debout : Allan Munn, Bertrand Goldschmidt, William Ozeroff, Bernice Sargent, Gordon Graham, Jules Guéron, Herbert Freundlich, Hans Halban, Ronald Newell, Frank Jackson, John Cockcroft, Pierre Auger, Stefan Bauer, Quentin Lawrence, Alan Nunn May. Assis : John Knowles, Pierre Demers, James Leicester, Henry Seligman, Ernest Courant, Ted Hincks, Frederick Fenning, George Laurence, Bruno Pontecorvo, George Volkoff, Alvin Weinberg (agent de liaison des États-Unis), Georg Placzek. Archives personnelles de la famille Cockcroft.

fait la recommandation à Cockcroft. Ce dernier l'approuve aussitôt et entame le recrutement d'un chef de projet pour ce petit réacteur. Halban va subir à cette occasion une nouvelle déconvenue, et non des moindres. Pour pourvoir ce poste, le Laboratoire a besoin d'un profil réunissant la maîtrise de la physique des neutrons, de bonnes connaissances en ingénierie et une certaine aptitude pour gérer des équipes. Quelques noms sont avancés par Halban, qui pousse la candidature de Stefan Bauer, un ingénieur autrichien naturalisé britannique en 1942. Cockcroft, de son côté, fait ses propres démarches, consulte les autres directeurs de division du Laboratoire et revient avec le nom de Lew Kowarski, l'ancien partenaire d'Halban.

Lors d'une rencontre en août 1944, c'est Kowarski qui est désigné. Il est transféré à Montréal à la demande expresse de Cockcroft pour endosser officiellement le rôle de chef de projet. Une décision certainement difficile à accepter pour Halban, persuadé que Kowarski ne fait pas le poids. Dans son journal de bord, Halban mentionne toujours les événements importants affectant le Laboratoire, mais l'arrivée de son ancien acolyte, fin juillet 1944, est passée sous silence. L'entrée du 31 juillet est un laconique : « Rangé de vieux dossiers »... Quelques semaines plus tard, l'épouse de Kowarski, Dora, débarque à Montréal avec leur fille Irène, qui aura bientôt 8 ans. Le 25 août 1944, les Kowarski fêtent l'anniversaire de leur unique enfant dans le jardin de leur nouvelle maison située sur la montagne près de l'oratoire Saint-Joseph. Irène est toute surprise, au milieu de la fête, de voir que plusieurs adultes, en particulier sa mère, sont en larmes. Les médias viennent d'annoncer la Libération de Paris[2]!

---

2. Interview avec Irène Kowarski, février 2020.

Le physicien Lew Kowarski, son épouse Dora et leur fille Irène louèrent une maison sur la montagne près de l'oratoire Saint-Joseph et de l'Université de Montréal en 1944. Photographe inconnu, archive personnelle d'Irène Kowarski.

Aussitôt après avoir pris ses quartiers à l'Université de Montréal, Lew Kowarski se met au travail et forme une petite équipe de huit personnes pour concevoir, construire et mettre en service le ZEEP. Cet acronyme, qui signifie Zero Energy Experimental Pile ou pile expérimentale à énergie zéro, est suggéré par Kowarski pour sa prononciation facile à retenir. Bertrand Goldschmidt, qui a connu Kowarski avant la guerre à Paris, au laboratoire de Joliot-Curie, est impressionné par la nouvelle prestance du physicien : « Il n'avait plus rien de commun avec l'ours mal léché, bourru et distant que j'avais connu… huit ans auparavant. Il avait été sorti de sa gangue par son long séjour en Angleterre… Combattant sa nature instable, il paraissait à son aise, même sûr de lui, et maniait avec humour le paradoxe et le calembour. Je compris alors… l'emprise qu'il avait exercée sur l'équipe de Cambridge en 1942[3]. » À son arrivée, Kowarski est breffé par un physicien, qui lui raconte ce qu'il sait à propos de la conception des piles atomiques, informations qu'il a glanées lors de ses voyages à Chicago. Selon Kowarski, cette séance dura un après-midi, ce qui était bien suffisant[4] !

La conception du ZEEP est assez simple. Comme ce réacteur est de très faible puissance, on n'a pas besoin de système de refroidissement ni de structures élaborées de blindage. En collaboration avec les ingénieurs, Kowarski décide de choisir une des formes les plus classiques, un cylindre vertical de métal dans lequel sont insérées les barres d'uranium. L'eau lourde est par la suite ajoutée

---

3. B. Goldschmidt, *Pionniers de l'atome, op. cit.*, p. 260.
4. Interview de Lew Kowarski par Charles Weiner, 20 octobre 1969, American Institute of Physics, transcription : www.aip.org.

comme lorsqu'on remplit une piscine. Quand on y pense, le ZEEP est en quelque sorte un format géant des barils d'eau lourde qu'Halban et Kowarski avaient transportés de Paris à Bordeaux, Cambridge et finalement Montréal! L'eau lourde utilisée pour le démarrage du ZEEP est prêtée à contrecœur par les Américains, qui estiment en avoir plus besoin que le groupe de Montréal. Durant l'été 1945, Kowarski entre en contact avec le général Groves pour la première fois. Sans autre préambule, ce dernier s'adresse à Kowarski : « Êtes-vous celui qui construit ce satané réacteur expérimental inutile ? » – « Oui » – « Eh bien, ce sont les États-Unis qui donnent la majorité de l'eau lourde pour ce réacteur, et c'est un truc très très coûteux. Veillez à ne pas la gaspiller[5]. »

Une question importante se pose dès le début. Où construira-t-on le ZEEP et son grand-frère le NRX, les deux réacteurs en développement au Laboratoire de Montréal ? Plusieurs sites sont envisagés au Québec et en Ontario, jusqu'à ce que le gouvernement prenne la décision de les bâtir dans un endroit entièrement nouveau, près d'une base militaire à 200 kilomètres au nord d'Ottawa, à Chalk River, au bord de la rivière des Outaouais. C'est ainsi qu'ont été créés de toutes pièces un laboratoire (Chalk River) et une ville pour loger tout le monde (Deep River), qui constituent encore aujourd'hui un des plus grands sites de recherche au Canada. Au départ, l'emplacement comporte une forêt et quelques chalets le long de la rivière, rapidement expropriés par le gouvernement. C'est la DIL qui est choisie comme entrepreneur principal, cette entreprise qui, comme on l'a vu, possédait la plus grande usine canadienne de

---

5. Interview de Lew Kowarski par Charles Weiner, *op. cit.*

munitions à Verdun, sur l'île de Montréal. La DIL engage Fraser Brace, une entreprise américaine dont la filiale canadienne a son siège social à Montréal, pour la construction des bâtiments du laboratoire et des logements des employés. Quelques scientifiques, ingénieurs et travailleurs y séjournent à partir de l'été 1944, mais ce n'est qu'à l'automne 1945 qu'y déménage la majorité des employés du Laboratoire de Montréal. John Cockcroft s'établit à Deep River avec sa famille en novembre 1945.

L'équipe mise sur pied et gérée par Kowarski va accomplir un exploit en enchaînant en douze mois la conception détaillée, la construction et la mise en service d'un réacteur nucléaire. Le démarrage du ZEEP se fait en ajoutant de l'eau lourde dans la cuve, autour des barres d'uranium. À mesure que la cuve se remplit, de plus en plus de neutrons sont ralentis (c'est la fonction de l'eau lourde) et peuvent être absorbés par des atomes d'uranium-235 qui ainsi fissionnent et dégagent de la chaleur. Dans des réacteurs plus puissants que le ZEEP, cette chaleur est utilisée pour faire bouillir de l'eau (comme dans les centrales au charbon ou au gaz), et la vapeur ainsi dégagée fait tourner une turbine qui produit de l'électricité. C'est George Volkoff, en tant que chef d'un groupe de physique théorique, qui est chargé de calculer le niveau d'eau lourde à partir duquel va se produire la divergence, ce qu'il accomplit avec l'aide d'un autre physicien canadien, John Stewart. En un an, tout est finalisé, le ZEEP est mis en service à Chalk River le 5 septembre 1945. Le Canada devient ainsi le deuxième pays au monde, après les États-Unis, à avoir construit un réacteur nucléaire. Le ZEEP fournira des années durant de nombreux services à l'industrie nucléaire canadienne, jusqu'à son arrêt définitif en 1968.

Le premier réacteur nucléaire à l'extérieur des États-Unis, le ZEEP, en construction le 21 juin 1945 dans un bâtiment blanc. En arrière-plan, le plus gros réacteur NRX, également en construction, sera mis en service en 1947. Conseil national de recherches du Canada.

Le ZEEP fonctionne intensément jusqu'en 1947, car les expériences dont il fait l'objet servent dans la conception du NRX. Lors de la mise en service de ce dernier réacteur, l'eau lourde du ZEEP y sera transférée, mettant fin à sa première période de fonctionnement.

Halban et les Joliot-Curie

La personnalité de Hans Halban est souvent mise en cause à travers les anecdotes de ses collègues. C'est pourtant un homme qui a aussi aidé, dans la mesure où il le pouvait, sa famille et ses amis restés en France pendant la guerre. Il est resté attaché en particulier à Irène et Frédéric Joliot-Curie, à qui il a fourni de l'aide financière et matérielle. En témoigne une carte postale envoyée par Irène Joliot-Curie à Hans Halban à Montréal, présentée ici pour la première fois.

Le texte de la carte dit : « Mon cher Halban, nous avons encore reçu quelques petits colis de vous, toujours bien utiles. Nous allons faire un voyage de 15 jours en URSS. Je pense que ce sera très intéressant, mais assez fatigant. Nous avons eu dans l'ensemble une saison bien agréable cette année et notre maison, notre jardin sont envahis le dimanche par de nombreux amis. À ce propos, si vous pouviez nous envoyer quelques balles de tennis, cela nous ferait grand plaisir. Nous avons recommencé à jouer avec des balles qui datent de l'antiquité. Bien amicalement, Irène Joliot-Curie. »

Six mois auparavant, en décembre 1944, Halban avait demandé à ses supérieurs britanniques et obtenu la permission d'effectuer un voyage en France pour rencontrer Frédéric Joliot. Halban avait hâte de revoir son patron du laboratoire Curie, car il voulait l'informer de l'avancée de leurs recherches atomiques pendant la guerre. Il était interdit pour Halban, comme tous ceux qui travaillaient au Laboratoire de Montréal, de parler de ses travaux avec qui que ce soit à l'extérieur du projet. Il négocie donc avec les Anglais les sujets qui peuvent être abordés

Irène Joliot-Curie posta cette carte de Paris le 10 juin 1945 à son ami Hans Halban à Montréal pour lui demander, entre autres, d'envoyer de nouvelles balles de tennis! Photo de Philippe Halban.

lors de cet entretien. Cette fameuse rencontre à Paris en décembre 1944 n'est pas un succès à en croire le journal personnel de Hans Halban. Ce dernier a de la difficulté à placer un mot, Joliot racontant en détail son implication dans les mouvements de résistance en France. Halban revient à Montréal un peu déçu, mais content d'avoir accompli son devoir envers son pays d'adoption.

Malheureusement pour lui, les Américains n'avaient pas été mis au courant et sont furieux lorsqu'ils apprennent la nouvelle de cette rencontre. Cela confirme leurs pires craintes sur les expatriés du Laboratoire de Montréal qui à la première occasion disséminent des informations ultrasecrètes. Cet épisode n'aidera pas Halban à trouver des postes à la hauteur de son talent par la suite. C'est ainsi qu'après la guerre il n'est pas rappelé au Collège de France, comme il s'y attendait. Il obtient plutôt un poste à l'Université d'Oxford en tant que responsable d'un groupe de recherche relié au laboratoire d'Harwell (l'équivalent en Angleterre du Laboratoire de Montréal après la guerre). C'est seulement huit ans plus tard qu'Halban est invité en 1954 par le chef du gouvernement français, Pierre Mendès-France, à diriger un nouveau laboratoire de recherche nucléaire à Saclay, près de Paris. C'est là qu'on coordonne les travaux sur la filière française d'énergie nucléaire et le programme militaire de développement de la bombe atomique française. En 1961, Halban doit prendre sa retraite à cause de problèmes de santé. Il décède en 1964 des suites d'une opération à l'hôpital américain de Paris, laissant dans le deuil sa troisième épouse, Micheline Lazard-Vernier et ses trois enfants, Mauld, Pierre et Philippe.

Montréal et la bombe

Le Laboratoire de Montréal n'a pas abandonné sa volonté de participer à la course à la bombe, même si l'Angleterre a pris conscience qu'elle ne maîtrisera pas cette arme en solo. Le gouvernement se projette désormais dans l'après-guerre et il paraît déraisonnable de laisser le monopole de l'atome aux États-Unis. Deux éléments aux potentielles applications militaires, soit le polonium et le plutonium, sont directement traités à Montréal.

Le travail sur le premier élément, le polonium, a démarré pendant la période trouble de l'année 1943 et du début 1944, avant l'arrivée de Cockcroft. À l'automne 1943, les Américains ont en effet invité Goldschmidt et Paneth (le directeur de la division de chimie) à Chicago pour discuter de cet élément chimique inattendu. Le polonium est un métal radioactif du tableau périodique découvert par Marie et Pierre Curie au début du siècle. On le trouve dans la nature en quantité microscopique, dans les roches où se trouvent l'uranium et le radium. Dans les années 1930, cet élément a pris une importance inattendue. Quand on combine une source de polonium (qui émet des particules alpha) avec du béryllium, le béryllium émet des neutrons. Cette combinaison polonium-béryllium est utilisée par tous les chercheurs en physique atomique de la fin des années 1930. Le Laboratoire de Montréal en possède une petite quantité, précieusement conservée. Sans révéler l'ensemble de la démarche à Goldschmidt et Paneth, les Américains dévoilent leur besoin d'une grande quantité de polonium. Ces deux hommes connaissent bien cet élément et les Américains veulent mettre leurs talents à profit. Très rapidement, nos deux compères déduisent que le polonium servira de détonateur pour la bombe au plutonium.

C'est ainsi qu'en octobre 1943 Goldschmidt s'envole de nouveau à New York et travaille à l'hôpital Memorial pour récupérer le polonium qui se trouve dans des sources de radium utilisées comme traitement contre le cancer. Selon ses propres dires : « La manipulation délicate aboutit à l'isolement de la plus forte quantité de polonium jamais préparée à cette date. Suivant les instructions reçues, je la rapportai d'urgence de New York à Montréal, où moins de 24 heures plus tard, un officier américain, venu lui aussi de New York par un soir de tempête de neige, vint en prendre possession pour l'emporter à Los Alamos[6]. » Le politique s'en est mêlé. Les Canadiens et les Britanniques veulent montrer que le polonium est une collaboration officielle du Laboratoire de Montréal au projet Manhattan, d'où le détour par Montréal avant d'aller au Nouveau-Mexique. Ce polonium va être utilisé à Los Alamos dans des recherches sur la façon d'amorcer la bombe atomique à l'uranium-235. Mais il sera rapidement épuisé et les Américains devront trouver une nouvelle source.

Dans l'accord que Chadwick a négocié avec Groves, le Laboratoire de Montréal peut travailler sur un autre aspect militaire : la séparation du plutonium. Comme on l'a vu, il y a deux sortes de bombes atomiques, la bombe à l'uranium-235 et celle au plutonium-239. Pour la bombe au plutonium, il faut d'abord construire un réacteur nucléaire où seront irradiées des barres d'uranium, puis séparer le plutonium qui est créé à l'intérieur de ces barres devenues très radioactives. On sait qu'un réacteur

---

6. B. Goldschmidt, *Pionniers de l'atome, op. cit.*, p. 246.

assez puissant pour produire du plutonium en quantité suffisante (le NRX) ne sera pas construit durant la guerre, mais on travaille sur la méthode de séparation du plutonium pour être prêt quand le NRX sera en opération.

Un problème majeur pour le Laboratoire de Montréal, c'est que le général Groves interdit tout échange d'information sur les découvertes réalisées dans le cadre du projet Manhattan. Les Américains sont pourtant bien plus avancés sur le sujet : ils ont d'ailleurs des réacteurs déjà en activité à Hanford, dans l'État de Washington, pour produire du plutonium en 1944. Montréal est donc obligé de pratiquement repartir à zéro, car en réalité le projet de bombe des États-Unis ne dépend pas du plutonium qui serait produit au Canada. La seule concession que Chadwick a obtenue de Groves est la livraison potentielle de deux barres d'uranium irradiées dans un réacteur nucléaire en opération à Oak Ridge au Tennessee. Quelques grammes de plutonium sont cachés à l'intérieur de ces barres, un trésor inestimable pour le groupe de Goldschmidt. C'est ainsi qu'en juillet 1944 Goldschmidt et Jules Guéron (un autre chimiste français responsable d'un groupe de recherche à Montréal) reçoivent un appel de l'officier de la GRC en faction à l'entrée du laboratoire : un colis vient d'arriver pour eux des États-Unis. C'est en fait deux voitures conduites par des gardes du corps armés. Ces véhicules contiennent chacun une barre d'uranium irradiée à l'intérieur d'un « château » de plomb. Les barres ont ainsi traversé en secret les États américains du Tennessee, de la Virginie, du Maryland, de la Pennsylvanie et de New York avant d'entrer au Québec, un trajet de plus de 1 600 km.

Les chimistes de Montréal se mettent aussitôt à l'œuvre pour tester différentes méthodes dans le but de séparer le plutonium de sa gangue d'uranium. La présence de produits de fission hautement radioactifs dans la barre d'uranium complique énormément l'opération. Le but de l'équipe de Goldschmidt est de mettre au point une méthode d'extraction du plutonium qui puisse fonctionner dans une usine de taille moyenne, pas seulement en laboratoire. Il faut donc que le processus soit relativement simple et facile à répéter. Après avoir enlevé la gaine d'aluminium qui recouvre les barres d'uranium irradiées, on dissout celles-ci dans l'acide nitrique. On crée ainsi des nitrates de plutonium et d'uranium dans une solution liquide qui contient tous les produits de fission. L'étape suivante est plus fastidieuse. On teste environ 200 solvants pour savoir lequel peut extraire le mieux le plutonium. Ces solvants doivent être non miscibles dans l'eau, c'est-à-dire que, comme l'huile d'olive, ils ne doivent pas se mélanger à l'eau. Pour chacun des solvants, on teste dans des flacons, à diverses températures, s'il dissout préférentiellement l'uranium, le plutonium ou des produits de fission. Cela implique de longues heures de travail en laboratoire. Les mélanges sont agités à la main. Ensuite, le solvant est extrait et on doit mesurer son taux de radioactivité.

Et ce n'est pas sans risque. Ainsi, dans son autobiographie, John Spinks, un autre chimiste qui travaille dans le groupe de Goldschmidt, raconte qu'après avoir dissous une barre et en avoir extrait la majorité de l'uranium, le plutonium semble avoir disparu. On le trouve adsorbé (ou englué) dans quelques flaques de matériel blanc, composées d'acier dissous provenant du contenant où se trouve la solution. C'est une mauvaise nouvelle, mais, pire encore, pratiquement tous les produits de fission hautement actifs sont eux aussi absorbés dans les mêmes flaques. En extraire le plutonium est un cauchemar[7]. À l'été 1945, on trouve finalement la composition qui fonctionne le mieux : un produit utilisé dans la fabrication du caoutchouc, le dichlorure de triglycol, aussitôt surnommé le trigly. Le processus d'extraction du plutonium est ensuite amélioré par un groupe de scientifiques du CNRC à Ottawa et c'est ce processus qui sera utilisé à Chalk River après la mise en service du NRX en 1947.

Tous ces programmes de recherche nécessitent de manipuler des produits hautement radioactifs, donc très dangereux. Pour mener à bien les projets et protéger son personnel, le Laboratoire de Montréal devra s'adapter.

La rencontre avec de Gaulle

En juin 1944, certains Français du Laboratoire (Auger, Goldschmidt et Guéron) apprennent la venue imminente à Ottawa du chef de la France libre, le général de Gaulle. Connaissant l'hostilité des Américains à toute participation étrangère au projet Manhattan, les expatriés français se doutent bien qu'après la guerre les États-Unis comptent régner en maîtres et conserver aussi longtemps que possible le monopole des connaissances sur la bombe et l'énergie atomiques. Cette attitude les encourage à déroger au secret et à révéler à de Gaulle le but des recherches atomiques en cours.

---

7. J. W. T. Spinks, *Two Blades of Grass : an Autobiography*, Western Producer Prairie Books, 1980, p. 64.

Ils convainquent le délégué de la France libre au Canada, Gabriel Bonneau, de leur accorder une entrevue d'une dizaine de minutes en tête à tête avec le général, pour une communication secrète de la plus haute importance. Bonneau pose une condition : une seule personne pourra parler à de Gaulle. C'est Guéron qui est choisi, car il connaît déjà le général et, étant payé par la France libre, il n'a pas signé l'*Official Secrets Act*. Le 11 juillet 1944, après un discours devant le Parlement sur la participation de la France à la paix et la coopération internationale de l'après-guerre, le général se rend à l'édifice de la délégation française. Ayant été prévenu, il demande à se laver les mains et se dirige vers la salle de bain au fond d'un couloir. Au lieu d'y pénétrer, il ouvre plutôt la porte située de l'autre côté du couloir. Guéron l'y attend et lui livre le message dont il a convenu avec Auger et Goldschmidt : « Une arme d'une puissance extraordinaire, à base d'uranium, devrait être prête dans un an et servir d'abord contre le Japon. La possession de l'arme mise au point aux États-Unis devrait donner à ce pays un avantage considérable dans le monde après la guerre. Il est indispensable de reprendre au plus vite les recherches correspondantes en France. Joliot et Francis Perrin sont ceux avec lesquels il faut organiser cette relance[8]. »

Le général garde cela en tête, mais pour l'instant il a d'autres préoccupations. Le débarquement de Normandie a eu lieu le 6 juin et les troupes alliées sont en train de reprendre la France aux Allemands. La reconquête de Paris a lieu le 25 août. Cinq jours plus tôt, de Gaulle a choisi Frédéric Joliot pour présider le Centre National

---

8. B. Goldschmidt, *Pionniers de l'atome, op. cit*, p. 266.

de la Recherche Scientifique. En 1945, Joliot participe à la fondation du Commissariat à l'énergie atomique (CEA), dont il est nommé haut-commissaire.

De Gaulle s'adressant à la foule sur la colline parlementaire d'Ottawa le 11 juillet 1944, un mois avant la libération de Paris et son retour en France. Photographe inconnu; Bibliothèque et Archives Canada C-026947.

L'histoire d'Alma Chackett

Parmi les chimistes qui ont travaillé à Montréal, une Britannique, Alma Chackett, est toujours vivante et active au moment d'écrire ces lignes, à 102 ans. J'ai eu la chance de la rencontrer et d'avoir de longs entretiens avec elle. Voici son histoire, telle qu'elle me l'a racontée.

Alma Thompson, de son nom de jeune fille, étudie la chimie à l'université de Birmingham en Angleterre, obtenant son baccalauréat en 1940. À l'université, elle rencontre son futur mari, Ken Chackett, également étudiant en chimie. Dans les années 1940, l'université de Birmingham possède un des groupes de recherches atomiques les plus avancés au monde. C'est là qu'en 1940 Otto Frisch et Rudolf Peierls ont écrit leur fameux mémorandum qui calcule la masse critique d'uranium-235 nécessaire pour la bombe. Une fois diplômée, Alma travaille d'abord pour la compagnie Northern Aluminium. Avec des collègues, elle est responsable de tester la composition des alliages utilisés dans la fabrication de pièces des bombardiers Lancaster et des chasseurs Spitfire et Hurricane. Les heures sont longues, car l'industrie britannique utilise toutes ses ressources pour construire des avions en vue de la bataille d'Angleterre. La composition exacte des alliages destinés à ces pièces est cruciale pour la survie des avions de guerre.

À l'été 1944, Ken Chackett achève son doctorat à l'université de Birmingham sur les techniques de séparation des gaz nobles (hélium, néon, argon, etc.). Il est recruté par le professeur Fritz Paneth pour le projet Tube Alloys à Montréal. Ken et Alma se marient le 10 juillet 1944 et, seulement trois semaines plus tard, Ken s'embarque sur le Queen Mary pour New York, puis monte dans le train pour Montréal.

Officiellement, Alma ne peut être employée par le gouvernement dans le même projet que son mari. Elle espère cependant qu'on l'autorisera à le rejoindre un peu plus tard. Elle finit par recevoir une lettre lui demandant de se présenter à l'ambassade du Canada à Londres, qui se trouve à Trafalgar Square. Lors de l'entretien, elle est scrutée sous tous les angles et soumise à un examen médical. Durant l'entrevue, alors qu'un missile V-1 tombe tout près, chacun plonge sous son bureau pour se protéger. Alma reste stoïque sur sa chaise.

Peu de temps après être revenue à Birmingham, une autre lettre lui ordonne de faire ses bagages et de se présenter à un quai bien précis de la gare New Street, où elle doit prendre le train W17. À la gare, on appose une étiquette W17 sur ses bagages et on la fait embarquer. Elle ignore sa destination, mais devine en observant le paysage qu'elle se dirige vers Liverpool. Arrivé près de cette ville, le train continue vers le nord pour finalement s'arrêter à Glasgow, en Écosse. Elle navigue sur l'Aquitania qui part à destination d'Halifax via Saint-Jean, Terre-Neuve. À Montréal, elle est immédiatement engagée par le Conseil national de recherches du Canada.

Le nom d'Alma Chackett figure sur une liste d'employés du Laboratoire de Montréal en mai 1945 comme personne « engagée localement » avec un salaire annuel de 1680 $[9]. Son mari est engagé en août 1944 par le Laboratoire comme officier scientifique subalterne et touche un salaire annuel de 330 £, ce qui équivaut à l'époque à 1460 $.

---

9. « Staff General A », archives nationales du R.-U., AB 1/187, 1945, p. 73, « Tube Alloys – Canadian Team ».

La chimiste Alma Chackett appréciait en 1945 son grand appartement nouvellement construit près de l'Université de Montréal. Ken Chackett, archives personnelles d'Alma Chackett.

Alma est donc payée plus cher que son mari, situation très inhabituelle à cette époque[10].

Les chimistes qui travaillent au projet Tube Alloys sont partagés en petits groupes, chacun investiguant les propriétés de différents produits de fission de l'uranium. Alma étudie le brome et l'iode sous la direction de Jules Guéron, tandis que Ken travaille sur les gaz rares : néon, argon et xénon. Alma constate que, du point de vue

---

10. Ken et Alma n'ont avec eux que leurs vêtements. On ne leur permet pas de sortir plus de 10 £ de la Grande-Bretagne, mais quand ils arrivent à Montréal, ils dénichent une chambre dans une maison et leurs dépenses sont subventionnées par les autorités. Un peu plus tard, ils emménageront dans un agréable appartement sur l'avenue Decelles, dans un immeuble où vivent également des chimistes travaillant au Laboratoire.

Les employés du Laboratoire de Montréal pouvaient de temps en temps profiter de la campagne dans la maison partagée à Beaurepaire (maintenant fusionnée avec Beaconsfield), sur l'île de Montréal. Ken Chackett, archives personnelles d'Alma Chackett.

social, les scientifiques se mêlent peu aux autres groupes. Évidemment, à cause de la nature secrète du projet, on ne les encourage pas à parler de leur travail; de plus, la recherche scientifique s'accommode mal d'heures régulières. Les gens prennent leurs pauses de façon volontaire et descendent souvent en ville pour manger rapidement. Même si Ken et Alma travaillent intensément, leur vie au Canada est douce en comparaison des dangers et des privations subis en Angleterre. Ils font un séjour dans les Laurentides, habitant dans une cabane en bois rond avec un groupe d'amis, et profitent d'excursions en canot pour apprécier le paysage automnal. Les scientifiques du labo ont accès, de temps à autre, à une maison partagée à

Beaurepaire (village maintenant fusionné avec Beaconsfield sur l'île de Montréal).

Le couple visite des cousins à Toronto et se rend aux chutes Niagara durant les vacances de Noël 1945. C'est une période heureuse pour les Chackett, tempérée évidemment par leur inquiétude pour leurs proches en Angleterre. Une grande partie de leurs temps libres est consacrée à empaqueter des colis de nourriture qu'ils envoient à leurs familles.

À l'été 1945, une photo est prise du groupe de chimie du Laboratoire de Montréal. Alma Chackett en a conservé une copie que nous reproduisons plus bas. C'est une photo précieuse, car c'est seulement la troisième photo de groupe connue du Laboratoire de Montréal et la deuxième sur laquelle on peut voir des femmes. Un tiers des 42 personnes de cette photo sont des femmes ; 25 personnes ont pu être identifiées.

L'aventure montréalaise de Ken et Alma se termine à l'été 1946. Ken rejoint le professeur Paneth à l'université de Durham en Angleterre. Alma obtient un poste à l'observatoire, qui exige d'habiter dans la maison à proximité afin de faire des relevés météorologiques. C'est là que naissent les deux filles du couple, Lesley et Daphne. Ils retournent à l'université de Birmingham (où ils s'étaient rencontrés) en 1952. Ken obtient un poste de chercheur et supervise des étudiants au doctorat. Alma le rejoint et leur équipe exécute des travaux pionniers dans la détermination des demi-vies d'isotopes radioactifs. Leur laboratoire abrite le premier cyclotron du département de physique de l'université de Birmingham. Il fonctionnera de 1948 à 1999. Alma Chackett travaillera comme chercheuse au département de physique en utilisant ce cyclotron jusqu'en 1980. Durant ces années, elle est

Sur cette photo de la division de chimie du Laboratoire de Montréal à l'été 1945, on peut voir Ken et Alma Chackett, Bertrand Goldschmidt, Fritz Paneth ainsi que Frank Morgan. Conseil national de recherches du Canada, archives personnelles d'Alma Chackett. 1 : Kenneth Musgrave ; 2 : Bertrand Goldschmidt ; 3 : Albert English ; 4 : Alma Chackett ; 5 : Geoffrey Wilkinson (futur lauréat du prix Nobel de chimie) ; 6 : Kenneth Chackett ; 7 : Henry Heal ; 8 : William Grummitt ; 9 : Jack Sutton ; 11 : Frank Morgan ; 12 : Alan Vroom ; 13 : Maurice Lister ; 14 : Fritz Paneth (directeur de la division de chimie) ; 15 : Leslie Cook ; 16 : Ruth Golfman ; 17 : Graham Martin ; 18 : Leo Yaffe ; 19 : Robert Betts ; 20 : Allan Lloyd Thompson ; 21 : Ethel Kerr ; 22 : Jules Guéron ; 23 : Samuel Epstein ; 24 : Margaret Kingdon ; 25 : Patricia Gorie ; 26 : Gerda Leicester.

coauteure avec son mari et plusieurs autres chercheurs de douze articles scientifiques. Ken et Alma Chackett prennent leur retraite ensemble en 1980. Ken décède en 2013 après une longue maladie, un an avant que le couple ne fête son 70ᵉ anniversaire de mariage. À l'âge vénérable de 102 ans, Alma est toujours active. Elle vit dans sa maison et s'occupe de son jardin.

La mystérieuse disparition
des photos d'Edgar Gariépy

Il reste très peu de clichés du Laboratoire de Montréal, la plupart étant conservés dans des albums de photos familiaux d'anciens employés. Pourtant un photographe professionnel québécois bien connu à l'époque a été engagé par le Laboratoire de Montréal. Edgar Gariépy, dont les photos sont aujourd'hui considérées comme «une source remarquable d'images sur le Québec de la première moitié du 20e siècle[11]», est sur la liste des employés de l'été 1944 jusqu'à la fin de 1945. Pendant ces dix-huit mois, il a sûrement dû prendre des dizaines, sinon des centaines de photos. Sinon pourquoi aurait-il été engagé? Ces photos d'une valeur historique inestimable semblent avoir été perdues. Seules les illustrations des pages 72 et 113 sont probablement de lui, comme l'a souligné Alma Chackett lors de nos entretiens.

Les archives d'Edgar Gariépy, comprenant plusieurs milliers de photos, sont conservées par la Ville de Montréal. Malgré des recherches intensives dans ce fonds et aux Archives nationales du Québec, je n'ai rien pu trouver en rapport avec le Laboratoire de Montréal. Ces mystérieuses photographies ne sont pas non plus dans les archives nationales du Royaume-Uni ni après visite sur place, dans les archives du Conseil national de recherches du Canada à Ottawa. Peut-être sont-elles conservées à Bibliothèque et Archives Canada (dont le

---

11. «De la campagne à la ville, le Québec de 1910 à 1950 vu par Edgar Gariépy», Archives de la Ville de Montréal, www2.ville.montreal. qc.ca, page consultée le 11 juin 2020.

classement est un casse-tête), mais je n'ai jamais pu les localiser. Ces photos, pour l'instant « perdues », permettraient de protéger la mémoire du Laboratoire, au-delà de l'écrit.

Edgar Gariépy, dont les photographies du Laboratoire de Montréal ont mystérieusement disparu. Archives de la Ville de Montréal.

Contamination radioactive et accidents

John Spinks est un jeune chimiste d'origine britannique qui travaille, sous l'autorité de Bertrand Goldschmidt, sur la séparation du plutonium contenu dans les barres irradiées produites à Oak Ridge. Après son doctorat à Cambridge, Spinks s'est retrouvé professeur de chimie à l'Université de Saskatchewan, à Saskatoon. C'est là qu'il a rencontré Mary Strelioff, une fille de fermier qu'il a épousée en 1939. Un jour de 1944, à son retour du travail au Laboratoire de Montréal, Mary lui dit : « John, ton cou est rouge. J'aimerais que tu te débarrasses de cette stupide habitude de te gratter le cou. » Il lui répond qu'il ne s'est pas gratté le cou, et que c'est plutôt son col de chemise qui doit l'irriter. « Alors change de chemise », réplique-t-elle. Quelques jours plus tard, la rougeur disparaît. Deux ou trois semaines passent, et la rougeur réapparaît. Mary remarque qu'il est bizarre que ce soit avec la même chemise. Ce soir-là, John retourne au labo avec la chemise et la teste avec un compteur Geiger, qui se met à crépiter follement. Des gouttes de matériel hautement radioactif avaient éclaboussé son col de chemise et avaient séché, causant une brûlure sur son cou. Spinks réfléchit : si c'est arrivé sur ma chemise, se dit-il, il est possible que des gouttes aient été projetées ailleurs dans le laboratoire. Il promène le Geiger sur le plancher, les murs et le plafond et découvre qu'ils sont tous radioactifs[12]. Le lendemain matin, il rapporte ses constatations à son patron, Bertrand Goldschmidt. Un

---

12. J. W. T. Spinks, *Two Blades of Grass, an Autobiography*, *op. cit.*, p. 65.

Le chimiste John Spinks a découvert qu'un des laboratoires de chimie était contaminé par des produits radioactifs. Local History Room, Saskatoon Public Library.

physicien de l'équipe qui se trouve là se met aussi à faire des tests et confirme que Spinks a raison. Il téléphone tout de suite à Cockcroft pour lui demander d'interdire aux chimistes l'accès aux autres parties du laboratoire de peur qu'ils ne contaminent l'ensemble.

Spinks est aussitôt nommé au Comité de protection contre les radiations, qui vient d'être créé. Il est chargé de faire un relevé général de la contamination du laboratoire. Cette étude est documentée dans le rapport CI-73 « Contamination dans les laboratoires actifs[13] ». Ce rapport fait seulement sept pages, dont trois de tableaux, mais sa lecture est très instructive. Il indique qu'une des salles utilisées pour la séparation du plutonium contient plusieurs endroits très radioactifs, en particulier la hotte d'évacuation des vapeurs et certaines tables de travail. La contamination proviendrait principalement de petites quantités de produits radioactifs liquides tombées sur le plancher et insuffisamment nettoyées. Ces gouttelettes adhèrent aux semelles et peuvent être transportées ailleurs dans le laboratoire. Spinks trouve ainsi que les chaussures de Bertrand Goldschmidt sont particulièrement contaminées. Elles sont donc confisquées et considérées comme des déchets radioactifs. Goldschmidt demande une compensation pour cette perte. Comme aucun remboursement n'est prévu pour ce genre de dépense, sa réquisition remonte l'échelle hiérarchique, en débutant avec le professeur Paneth, suivi du docteur Cockcroft, qui la transmet à Edgar Steacie, directeur de la division de chimie du Conseil national de recherches du Canada, qui la fait suivre à Chalmers Jack Mackenzie, président du CNRC, qui l'envoie au ministre C. D. Howe qui finalement l'approuve et la retourne vers le bas de l'échelle. Selon Goldschmidt, la note se serait même rendue jusqu'au

---

13. J. W. T. Spinks, « Contamination in the active laboratories », *CI-73*, archives nationales du R.-U., AB2/45, 1944.

premier ministre Mackenzie King, mais aucun document ne permet de le prouver[14].

Racontée plusieurs fois, mais longtemps après les faits, il y a aussi l'histoire d'Alfred Maddock. «Alfie», comme on l'appelle, travaille d'abord au projet Tube Alloys à Cambridge où il est responsable de l'inventaire de l'eau lourde rapportée par Halban et Kowarski de Paris. Il aime entretenir le mythe du savant distrait et potentiellement dangereux qui a fait exploser par mégarde tout l'appareillage utilisé pour ses expériences de doctorat. À Montréal, Maddock fait partie du groupe de Bertrand Goldschmidt affecté à la séparation du plutonium. La légende veut qu'un soir, travaillant sur cette matière hautement radioactive, extraite des barres irradiées d'Oak Ridge, Maddock fait une manœuvre malencontreuse et renverse la solution sur la table de travail en bois où se trouvent ses appareils. Pour recouvrer le plutonium, il se résout à scier une partie de la table pour brûler le bois et récupérer les cendres contenant le plutonium. La manipulation aurait permis de recouvrer 95 % du produit. Ce qui est advenu des 5 % manquants, on l'ignore, mais cela n'a pas dû aider à décontaminer le laboratoire...

Ces incidents sont suivis de plusieurs recommandations, dont celle d'effectuer régulièrement des mesures afin de confirmer que le nettoyage a été efficace et qu'il n'y a pas de nouvelles contaminations. Au Laboratoire de Montréal, on prend la santé du personnel au sérieux, car on connaît depuis plusieurs années déjà les dangers de la radioactivité. À la fin de 1944, on met sur pied une division médicale.

---

14. J. T. W. Spinks, *Two Blades of Grass, an Autobiography, op. cit.*, p. 65-66.

Les rapports mensuels de cette section laissent filtrer des cas d'impacts sur la santé des travailleurs causés par l'irradiation. Le sang de la grande majorité des employés est analysé afin d'évaluer le niveau de globules blancs. Un des premiers signes d'irradiation est en effet la baisse du nombre de globules blancs, et c'est la seule méthode connue à l'époque pour détecter une contamination. Préoccupé par cette question des contaminations, le directeur Cockcroft décide d'augmenter considérablement les travaux du Laboratoire sur la santé des employés et l'impact des radiations.

Les deux chimistes condamnés à mort…

Une histoire très intrigante et qui reste à confirmer a été rapportée par une seule personne, le physicien Henry Duckworth. Pendant la guerre, il travaille au CRNC à Ottawa et va visiter le Laboratoire de Montréal. Voici cette anecdote, telle qu'il la raconte dans son autobiographie, *One version of the facts: my life in the ivory tower*:

> J'ai visité le Laboratoire de Montréal pour deux jours lors d'une période désespérément froide de janvier 1945. La section de radioactivité du Laboratoire de Montréal était dirigée par un radiochimiste de l'ancien temps, Friedrich Paneth. Dans sa carrière d'avant-guerre, il n'avait travaillé qu'avec des quantités minuscules de matériel radioactif. Il n'était donc pas habitué à prendre les précautions requises pour des échantillons plus actifs. La conséquence de ce

manque de prévoyance avait durement frappé le Laboratoire peu de temps avant ma visite. On venait juste de réaliser que deux des jeunes employés de Paneth, Heal et Morgan, avaient été exposés à des doses létales de radiations. Ils ne mourraient pas tout de suite, mais c'était inévitable. Leurs collègues se précipitaient pour ouvrir les portes devant les deux condamnés et essayaient de toutes sortes de façons de rendre leur vie plus supportable. Je n'ai jamais su combien de temps ils ont survécu, mais, en 1955, j'ai été surpris de découvrir que Morgan présidait un colloque. J'ai demandé comment allait Heal, on m'a dit qu'il allait bien aux dernières nouvelles. Les deux avaient donc défié les prédictions et reçu leurs hommages « nécrologiques » bien avant leur réelle disparition[15].

On conviendra que ce texte est frappant et donne une quantité de détails qui le rendent plausible. J'ai découvert cette histoire avec étonnement. Henry Heal et Frank Morgan sont effectivement deux chimistes qui ont travaillé dans le groupe de Fritz Paneth au Laboratoire de Montréal. En 1945, ils ont respectivement 25 et 24 ans. Les deux vont survivre plus de quarante ans après l'incident rapporté par Duckworth, s'il a vraiment eu lieu. La description que Duckworth donne de Fritz Paneth est assez pernicieuse et n'est pas du tout corroborée par ceux qui ont travaillé directement avec lui. Daphne MacDonagh, la fille d'Alma Chackett, rapporte une discussion avec sa mère à ce sujet :

---

15. H. E. Duckworth, *One Version of the Facts : My Life in the Ivory Tower*, University of Manitoba Press, 2000, p. 80.

À propos de l'histoire d'Henry Duckworth, elle (Alma Chackett) la trouve plutôt choquante et, à sa connaissance, complètement fausse. Elle est convaincue que si cet incident s'était produit, elle en aurait discuté avec mon père et s'en rappellerait. Dans tous les cas, elle ne pense pas que le professeur Paneth était directement responsable des détails des mesures de sécurité. Il y avait des agents de protection contre les radiations dont le travail constituait à s'assurer de la sécurité, et elle se rappelle que la surveillance était vraiment rigoureuse. Si une personne recevait une dose légèrement supérieure à la normale, elle était retirée du travail pendant un certain temps. Elle craint que cette histoire ne soit une tentative de jeter le discrédit sur le professeur Paneth. Pour quelle raison? On ne peut que spéculer. Frank Morgan, en particulier, était quelqu'un de décontracté et heureux, qui n'a jamais agi comme s'il pensait mourir et qui a continué sa vie en ayant quatre enfants. Heureusement, ces deux hommes ont survécu longtemps, ce qui suggère que l'événement n'a jamais eu lieu ou a été exagéré.

J'ai eu la chance de pouvoir entrer en contact avec les familles de ces deux chimistes, aujourd'hui décédés. Personne parmi leurs proches n'a entendu parler de l'histoire racontée par Henry Duckworth. Ayant travaillé dans la division de chimie responsable de l'extraction du plutonium, il est par contre clair que ces deux hommes ont dû recevoir une dose d'irradiation plus élevée que les normes actuelles. Vers la fin de sa vie, Frank Morgan a écrit une autobiographie qui n'est pas publiée à ce jour. Il n'y fait aucune mention d'un événement qui aurait pu lui valoir une dose létale de radiations. Tout au plus mentionne-t-il le transport de

Montréal à Chalk River, accompagné par des gardes armés de la GRC, de 5 mg de plutonium dans une camionnette[16]. À mon avis, les manipulations effectuées au Laboratoire étaient pourtant bien plus dangereuses pour la santé que les doses éventuellement subies pendant ce transport.

Début 2016, j'ai contacté pour la première fois Janet Morgan, fille de Frank Morgan et de son épouse Sheila Sadler, née à Montréal en décembre 1945. Après avoir lu l'histoire de la mort annoncée de son père en 1945, elle a formulé cette remarque : «Merci pour un des courriels les plus fascinants que j'ai jamais reçus. Je suis la fille de Frank Morgan (née en décembre 1945, malgré tout ce qui est arrivé)… En janvier 45, mes parents avaient été avertis qu'il serait mieux qu'ils n'aient pas d'enfant dans les deux prochaines années. Conseil qu'ils n'ont, de toute évidence, pas suivi!» Cette étrange histoire n'est pas complètement élucidée. Les dires de Duckworth me semblent exagérés, sinon comment ces deux hommes auraient-ils survécu plus de quarante ans, mais en même temps, on a le sentiment qu'il a dû y avoir un incident lors duquel ils ont reçu une dose plus élevée que les autres employés du Laboratoire, ce qui expliquerait le souvenir de Duckworth et leurs décès quand même prématurés, dans la soixantaine, l'un d'un cancer et l'autre d'une crise cardiaque.

---

16. Communication personnelle (courriel) de Janet Morgan, 17 juillet 2016.

La « bombe » au cobalt

Ces contaminations et leurs conséquences vont avoir des répercussions très concrètes. Pour encadrer la santé de son personnel, Cockcroft recrute un médecin britannique : Joseph Stanley Mitchell, spécialiste de la lutte contre le cancer. Il le nomme à la division de médecine et biologie qui vient d'être créée. Cette section travaille sur la protection des employés du Laboratoire contre les radiations et fait également des recherches sur la lutte contre le cancer. C'est dans ce dernier domaine qu'une découverte fondamentale sera faite à Montréal.

Au début de la guerre, Mitchell est radiothérapeute au service d'urgence médicale à Cambridge. En 1944, quand il rejoint le Laboratoire de Montréal, il possède un bagage de connaissances unique, grâce à son diplôme de médecine et à son expérience pratique en radiologie. Dès son arrivée à Montréal, il recherche des produits radioactifs pour remplacer le radium dans le traitement contre le cancer. Cet élément, qui est utilisé depuis le début du 20e siècle, présente en effet quelques inconvénients majeurs. Joseph Mitchell en est bien conscient, lui qui l'a utilisé dans des traitements sur les patients. Jusqu'alors, le radium était placé dans une aiguille qu'on insérait directement dans une tumeur en passant au travers de la peau. Il fallait évidemment que la tumeur soit en superficie et non pas dans un organe interne du corps. Pour traiter les cancers de la peau, on faisait des cataplasmes de radium qu'on appliquait directement sur la tumeur.

Mitchell et ses collaborateurs étudient les propriétés de produits de fission et d'éléments naturels qui pourraient être irradiés dans un réacteur nucléaire pour remplacer le radium par un atome plus performant. Ces recherches seront fructueuses. À la demande de Cockcroft, Mitchell fait donc en 1945 un résumé de ses recherches dans le rapport HI-15 : « Applications à la biologie et à la médecine d'avancées récentes en physique[17] ». Ce rapport sera publié officiellement en 1947 dans le *British Journal of Cancer*. Mitchell recommande qu'on utilise le cobalt-60 contre le cancer pour plusieurs raisons. D'abord parce qu'il émet des rayons gamma qui sont beaucoup plus pénétrants que les rayons alpha, émis par le radium. On peut ainsi atteindre des cancers dans des organes internes. Sa demi-vie est idéale, pas trop longue, ni trop courte. Grâce à cette propriété, les hôpitaux peuvent le stocker et il reste actif pendant environ quinze ans. Un autre gros avantage, c'est qu'il est beaucoup moins cher à produire que le radium. Dans les années 1930, 1 gramme de radium peut coûter entre 500 000 et 1 million de dollars canadiens. Mitchell calcule que le réacteur nucléaire en construction, le NRX, peut produire plusieurs centaines de curies de radiocobalt par mois, soit une quantité importante à un rythme régulier.

L'histoire du cobalt-60, démarrée à Montréal, se poursuit à Chalk River grâce à une nouvelle recrue. En mai 1945, André Cipriani rejoint la division de médecine et biologie du Laboratoire de Montréal. Né à Port-of-Spain, à Trinidad, Cipriani étudie la physique, le génie et la médecine à McGill. À Montréal, Cipriani fait à son tour de la recherche fondamentale sur le cobalt-60. Il mesure l'énergie des rayons gamma émis par le cobalt, mesure

---

17. J. S. Mitchell, « Applications of recent advances in nuclear physics to medicine », *HI-15*, archives nationales du R.-U., AB 2/205, 1945.

très importante pour pouvoir l'utiliser en médecine. On place le cobalt dans un appareil blindé à côté duquel une personne est assise ou dans lequel on allonge quelqu'un. Les rayons gamma émis par le cobalt-60 sont alors dirigés vers la tumeur maligne.

André Cipriani déménage à Chalk River à l'automne 1945 et devient directeur de la division de biologie. À l'été 1946, un collègue de Cipriani donne un cours de deux semaines sur la radiothérapie, qui est suivi, entre autres, par un physicien de l'Université de la Saskatchewan, Harold Johns. À partir de 1949, on introduit des barres de cobalt naturel dans le NRX, c'est-à-dire du cobalt-59, pour qu'il absorbe des neutrons et se transforme en cobalt-60. Le cobalt produit de cette façon coûte 6 000 fois moins cher que le radium pour des rayonnements plus pénétrants. Les premières barres de cobalt-60 irradiées sont vendues à l'Université de la Saskatchewan et à Eldorado Mining and Refining, une compagnie de la couronne qui contrôle l'extraction et le traitement de l'uranium au Canada.

Dans cette université, c'est Harold Johns, aidé de ses étudiants au doctorat, qui conçoit une « bombe au cobalt », comme on appelle à l'époque les machines de traitement du cancer. Le premier ministre de la Saskatchewan, Tommy Douglas, bien connu pour avoir introduit en 1943 la première assurance santé universelle dans une province canadienne, donne son aval à l'université pour l'achat de cobalt-60 de Chalk River. Le cobalt est livré à la fin juillet 1951. On doit prendre de grandes précautions pour éviter que des personnes soient accidentellement irradiées ou le soient pour des périodes trop longues. Une exposition directe de quelques minutes seulement constitue une dose létale. La première patiente

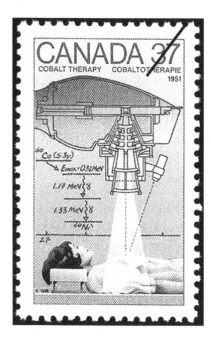

Timbre commémorant les premiers traitements au cobalt-60 en 1951. Poste Canada.

à recevoir un traitement, en Saskatchewan, et même dans le monde, en novembre 1951, est une femme de 43 ans, mère de quatre enfants, traitée pour un cancer du col de l'utérus. Le traitement réussit et elle survivra pendant encore 47 ans.

En parallèle, la société Eldorado construit une machine semblable à London, en Ontario, qui entre en service quelques jours après celle de Saskatoon. Le Canada devient alors le principal producteur mondial de machines à traiter le cancer. Entre 1950 et 2000, le pays fournit plus de 50 % des « bombes au cobalt », dans 80 pays. On estime que sept millions de patients ont été traités au cobalt-60 au cours de cette période grâce à des appareils canadiens. À défaut de bombe atomique, le Laboratoire de Montréal a donc conçu une « bombe au cobalt » capable de soigner des malades. De nos jours, le cobalt-60 est principalement utilisé pour stériliser des équipements médicaux, par exemple des gants de chirurgie. Dans le traitement du cancer, il a été remplacé par des faisceaux de rayons X ou d'électrons produits par des accélérateurs linéaires.

À part l'identification de radio-isotopes pouvant être utilisés en médecine, la division de biologie s'est penchée sur l'effet des radiations sur les êtres vivants. Un réacteur nucléaire crée des éléments radioactifs en grand nombre. L'impact des radiations sur les êtres humains a pris une importance de plus en plus grande au cours de la guerre. Mitchell s'intéresse à cette question et entreprend des expériences d'irradiation de souris au Laboratoire de Montréal. Il effectue plusieurs voyages aux États-Unis, qui a une longueur d'avance dans ce domaine en raison du projet Manhattan. Les expériences effectuées à Montréal aident Mitchell à réfléchir au problème suivant : comment mesurer de façon précise les doses de radiation reçues par les animaux et les humains. Cette question paraît très technique de prime abord, mais elle recèle un point fondamental : si on ne définit pas correctement les doses, comment peut-on savoir si un travailleur, par exemple, a été exposé à des radiations d'un niveau dangereux et, par conséquent, si des mesures de protection adéquates sont en place ?

Définir correctement les doses signifie qu'une seule unité doit tenir compte de l'impact des différents types de radiations (alpha, bêta, gamma et neutrons), de leur intensité ainsi que de la façon dont la dose est reçue par la personne (par exposition externe, inhalation ou ingestion). Mitchell écrit plusieurs rapports au Laboratoire de Montréal à ce sujet, par exemple le rapport HI-14,

«Calculs provisoires sur la dose de tolérance des neutrons thermiques», ou encore le HI-17, «Mémorandum sur certains aspects de l'impact biologique des radiations, avec une référence spéciale au problème de la tolérance». La tolérance dont il est ici question est la capacité de certains organismes vivants à survivre à des doses de radiations élevées. Le «problème de la tolérance» consiste à savoir comment déterminer le niveau de radiation auquel peuvent survivre les souris, ou les êtres humains. Après la guerre, les recherches entreprises par Mitchell et d'autres scientifiques aux États-Unis et en Europe aboutiront aux dosimètres, petits appareils que l'on porte quand on travaille en milieu radioactif et qui permettent d'enregistrer la dose radioactive totale absorbée.

Les travaux du Laboratoire de Montréal ont donc eu des retombées majeures sur les recherches en santé humaine. Il faut dire que le groupe de physiciens qui y travaillait, issu des meilleurs laboratoires mondiaux, était à l'avant-garde de la recherche sur l'atome. Certains pays laissés pour compte dans cette course folle n'ont pas abdiqué pour autant: ils sont même prêts à tout pour rejoindre la compétition...

Des fuites en tous genres

L'affaire Gouzenko

Le 5 septembre 1945, en fin d'après-midi, un fonctionnaire de l'ambassade soviétique à Ottawa, Igor Sergueïevitch Gouzenko, quitte son bureau et sait qu'il n'y retournera jamais. Il récupère une mallette, qui contient des codes de chiffrement ainsi qu'une centaine de documents donnant des informations détaillées sur un réseau d'espionnage soviétique au Canada. Le chiffrement est la transformation, à l'aide d'un code, d'un message clair en un message dit chiffré, incompréhensible à moins d'en avoir la clé. C'est une technique utilisée par tous les services d'espionnage. Gouzenko a décidé de jouer le tout pour le tout et de livrer aux Canadiens des informations ultrasecrètes. Il se rend au bureau de la GRC à Ottawa, mais personne ne veut croire à son histoire. Il continue sa course jusqu'au bureau de l'*Ottawa Journal*, mais le rédacteur en chef de l'édition du soir n'est pas intéressé. Il lui suggère de se rendre au ministère de la Justice du Canada, ce que Gouzenko fait aussitôt, mais à son arrivée les bureaux sont fermés… Pris de panique, il court jusqu'à son appartement, où il vit avec sa femme et leur premier enfant. Ils se cachent chez les voisins pour la nuit. Gouzenko sait que sa vie est en danger s'il est découvert. Des officiers soviétiques pénètrent effectivement dans son appartement et commencent à fouiller ses affaires personnelles. Ils sont interrompus par la police d'Ottawa. Les Russes doivent partir, car ils n'ont aucun pouvoir de perquisition au Canada. Igor Gouzenko était responsable du chiffrement à Ottawa depuis 1943. En septembre 1944, il a appris qu'il serait prochainement rapatrié en URSS. Il craint, avec raison, qu'un retour si rapide soit le signe qu'il a commis une faute, synonyme dans la Russie stalinienne d'emprisonnement ou de sanctions bien pires. Très impressionné par les conditions de vie au Canada, il prend la décision risquée de faire défection. Au cours de l'année suivante, il photocopie des documents secrets qu'il garde chez lui. Plusieurs historiens disent que la guerre froide a commencé à Ottawa ce 5 septembre 1945.

En fait, il faudrait plutôt dire le 6 septembre. En effet, le lendemain, Gouzenko retourne à la GRC. Il finit par convaincre l'agent responsable et il est reçu, la journée même, par le ministre de la Justice, Louis St-Laurent. Gouzenko demande l'asile politique. Saint-Laurent convoque Norman Robertson, sous-ministre aux Affaires extérieures, qui en informe le premier ministre Mackenzie King. Pour le chef du gouvernement canadien, c'est une bombe diplomatique. Il préférerait ne pas accorder l'asile à Gouzenko pour ménager l'URSS qui est un allié militaire dans la guerre qui vient de se terminer. Igor, sa femme Svetlana et leur enfant sont finalement emmenés dans le camp X, un camp d'entraînement pour des commandos militaires, situé près d'Oshawa sur les rives du lac Ontario, à bonne distance d'Ottawa. Gouzenko possède de nombreux documents qui prouvent l'existence d'un vaste réseau d'espions au Canada visant en particulier les programmes de recherches scientifiques militaires, dont évidemment les recherches atomiques.

Igor Gouzenko se prépare avant une entrevue à la CBC. Pendant toute sa vie après sa défection en 1945, il porta un masque en public pour garder l'anonymat de crainte d'être attaqué par les services secrets soviétiques. Bibliothèque et Archives Canada, MIKAN 3239912, fonds *Montreal Star*.

Gouzenko était arrivé à Ottawa durant l'été 1943, peu de temps après le colonel Nikolai Zabotine, membre du GRU (service secret de l'armée russe), chargé de l'espionnage au Canada, à l'insu de l'ambassadeur soviétique. Zabotine avait participé à la bataille de Stalingrad dans laquelle l'armée du Reich allemand avait subi sa première défaite majeure. Cet homme grand et distingué était bien apprécié des diplomates à Ottawa. Zabotine était très actif pour le GRU, étant lui-même le contact direct de plusieurs espions du réseau que son prédécesseur à Ottawa avait mis sur pied. Moscou s'intéressait particulièrement aux recherches atomiques, mais personne du réseau de Zabotine ne travaillait au Laboratoire de Montréal en 1943 ni en 1944.

Zabotine faisait entièrement confiance à Gouzenko, lui laissant même des libertés surprenantes pour une personne ayant accès à des documents ultrasecrets. En contravention des règles du GRU, Gouzenko et sa famille ne vivaient pas dans le même édifice que Zabotine ou du personnel de l'ambassade. Il semble que l'épouse de Zabotine préférait que le bébé des Gouzenko ne hurle pas dans le même immeuble! Zabotine avait aussi la tête ailleurs et ne surveillait pas Gouzenko de trop près. Il avait commencé une affaire extra-conjugale avec Nina Farmer, une immigrée russe, qui vivait à Montréal séparée de son mari américain. Zabotine, qui allait souvent dans la métropole pour affaires, résidait dans la suite «Prince de Galles» du Ritz-Carlton. C'était là, entre autres, qu'il rencontrait sa maîtresse. Il l'amenait souvent souper au restaurant et danser[1]. Selon le témoignage de Nina Farmer, le colonel lui avait même demandé un soir si le nom «Grant» lui disait quelque chose. Mme Farmer n'avait évidemment aucune idée de ce que ça pouvait signifier, mais c'était une question légère, qui aurait pu lui causer beaucoup de soucis. Grant est le nom de code que Zabotine utilisait dans ses communications secrètes avec Moscou et sous lequel il était connu de ses contacts canadiens.

Finalement, au début de 1945, Zabotine apprend qu'il y a un agent dormant, autrefois recruté en Angleterre, qui travaille pour le Laboratoire de Montréal depuis deux ans. Cette découverte provoque sa colère contre le service d'espionnage soviétique qui ne l'a pas tenu au courant, semble-t-il pour des raisons de guerres intestines au GRU.

---

1. Amy Knight, *How the Cold War Began: The Gouzenko Affair and the Hunt for Soviet Spies*, McLelland and Stewart, 2005, p. 26.

Il se rattrape rapidement et envoie le lieutenant Angelov pour prendre contact avec le fameux espion infiltré à l'intérieur du Laboratoire. Contre toute attente, cet homme n'est pas allemand, français ou canadien, mais... anglais.

Alan Nunn May

Le contact du GRU au Laboratoire de Montréal s'appelle Alan Nunn May. Pour comprendre sa vocation de physicien-espion, il faut remonter dans son passé. Cet homme est né en 1911 à Birmingham, en Angleterre, dans une famille de quatre enfants. Son père est propriétaire d'une fonderie de laiton. À la fin de la Première Guerre mondiale, l'usine de son père est endommagée par un incendie. La famille doit alors déménager dans une maison plus modeste à cause des conséquences économiques du drame. Alan fait ses études secondaires à Birmingham et entre en 1929 à l'université de Cambridge en physique. À cette époque, à la suite de lectures sur la Première Guerre mondiale comme *À l'ouest, rien de nouveau* d'Erich Maria Remarque, roman décrivant l'absurdité des guerres de tranchées du point de vue d'un jeune Allemand, Nunn May devient très critique de l'establishment anglais. Dans les années 1930, il s'engage activement dans l'Association of Scientific Workers (association des travailleurs scientifiques), syndicat représentant des employés d'universités britanniques qui regroupe toutes les strates de la hiérarchie. S'intéressant vivement à la politique, il est découragé par l'élection d'Hitler en Allemagne. Le seul pays qui lui paraît apporter un espoir de changement est l'URSS. Il devient ami avec

Frederick Pateman, étudiant de physique dont la famille est issue de la classe ouvrière et qui est membre du Parti communiste britannique. Mais, au début de la Seconde Guerre mondiale, il s'éloigne de la position du Parti, aligné sur Staline, qui considère le conflit comme impérialiste des deux côtés. Comme beaucoup de socialistes et de communistes anglais, Alan pense que c'est plutôt une guerre antifasciste, au même titre que la guerre d'Espagne.

Bien qu'il s'intéresse de près à toutes ces idées, Nunn May décide de concentrer ses efforts sur ses études en physique. Il est impressionné par le groupe de Rutherford et veut à tout prix en faire partie. En 1939, il travaille sur les radars dans le Suffolk, puis à Bristol sur un projet de photographie des particules à grande vitesse émises par des éléments radioactifs. En 1942, il est sollicité par James Chadwick pour faire partie du projet Tube Alloys. Lors de l'entrevue, Chadwick lui demande s'il a connu un certain Nahum lors de ses études à Cambridge (Ram Nahum était l'étudiant en physique de Cambridge le plus engagé dans le Parti communiste). D'après le récit rapporté par son fils adoptif[2], Nunn May a raconté :

> J'ai dit « oui », et Chadwick de continuer : « Nous avons essayé de l'avoir [Nahum] pour travailler sur le projet, mais les responsables de la sécurité ont soulevé des objections, pour des raisons futiles ». Et il m'a fixé avec un de ses regards narquois, semblant attendre que je comprenne tous ses sous-entendus. Les messages étaient clairs : premièrement, il savait que, comme plusieurs autres physiciens nucléaires

---

2. Paul Broda, *Scientist Spies, a memoir of my three parents and the atom bomb*, Matador, 2011.

à Cavendish, j'avais été membre du parti, sinon pourquoi poser la question sur Nahum ; deuxièmement, personnellement il ne considérait pas cela comme un obstacle à l'embauche, et les autres scientifiques responsables pensaient la même chose ; mais les responsables de la sécurité étaient susceptibles de faire des problèmes, ce qui rendrait la vie difficile, donc il était mieux de ne pas poser de questions embarrassantes, et est-ce que, s'il-vous-plait, je pouvais me tenir tranquille.

C'est fou tout ce que peut dire un regard...

Il rencontre ensuite George Thomson, physicien britannique qui a reçu le prix Nobel en 1937 et qui était le président du comité MAUD (voir le chapitre « Un laboratoire en guerre », p. 28-31). Celui-ci déclare que le groupe d'Halban comprend « trop de maudits étrangers » et lui fait signer les formulaires de l'*Official Secrets Act* (la loi sur les secrets officiels). Alan Nunn May est ainsi recruté dans l'équipe d'Halban et Kowarski à Cambridge. Il travaille sur un type de chambre d'ionisation plus performante. Durant cette période, il reçoit la visite de membres du Parti communiste, des chercheurs qu'il avait connus lors de ses études à Cambridge. Ils le convainquent de réintégrer le parti et d'être membre d'une cellule composée de scientifiques travaillant sur des projets top secrets. Alan Nunn May n'a jamais révélé qui étaient ces personnes qui l'avaient recruté pendant son séjour à Cambridge en 1942, ni qui était le chef de sa cellule.

En juin 1942, Halban revient d'un voyage aux États-Unis où il a discuté avec des responsables du projet Manhattan. Il a pu lire un rapport sur les « poisons radioactifs », des produits de fission créés dans une pile atomique et potentiellement utilisés dans une bombe conventionnelle larguée sur une ville afin de la rendre inhabitable. C'est ce qu'aujourd'hui on appelle une « bombe sale ». Ce type de bombe conventionnelle (c'est-à-dire que l'explosif est chimique, par exemple du TNT), à laquelle on ajoute des produits radioactifs, est à distinguer d'une bombe atomique (dont l'explosif est de l'uranium-235 ou du plutonium-239) dont la puissance létale peut être des milliers de fois plus élevée et contaminer radioactivement toute une région. Comme les services de renseignement américains croient que les Allemands sont sur le point de construire une pile atomique, cette question des poisons radioactifs est devenue prioritaire.

Halban, qui est alors à la tête d'une équipe à Cambridge, charge Nunn May de colliger toutes les informations connues sur les poisons radioactifs et d'en faire rapport avec des recommandations pour les autorités britanniques. Alan passe l'été 1942 là-dessus et remet son rapport le 29 août. Ses conclusions sont discutées lors d'une rencontre du comité de supervision de Tube Alloys au mois de septembre 1942. Les Britanniques et les Américains craignent sérieusement une attaque allemande avec des poisons radioactifs. Le laboratoire de Chicago, où Fermi est en train de mettre au point la première pile atomique, se prépare déjà à une attaque allemande appréhendée pour le 25 décembre 1942. On évacue les familles des scientifiques à l'extérieur de Chicago et on installe des compteurs Geiger pour détecter toute contamination venue de l'extérieur. Ces craintes étaient bien entendu sans fondement, les Allemands étant très en retard sur les Alliés dans les recherches atomiques.

Pour sa part, Nunn May pense que, si les Allemands possèdent des poisons radioactifs, ils sont bien plus susceptibles de les utiliser contre les Russes, surtout que les batailles les plus critiques se déroulent sur le front de l'est et que les Allemands considèrent les Soviétiques comme des sous-hommes. C'est alors que Nunn May pose le premier geste qui le mènera à sa perte. En discutant avec le chef de sa cellule communiste, celui-ci lui demande si les informations du projet Tube Alloys sont partagées avec les Russes. Alan répond qu'à sa connaissance personne à Moscou n'est au courant de l'existence d'un tel projet. Le chef lui dit qu'il peut arranger une rencontre avec un jeune diplomate soviétique qui serait très ouvert à ce qu'Alan aurait à lui dire. Nunn May entreprend alors d'écrire une note résumant ce que les Anglais et les Américains savent sur les poisons radioactifs. La rencontre a lieu dans un café de Londres, à une table près d'une fenêtre. Au moment où Alan passe sa note au diplomate, ce dernier jette un coup d'œil par la fenêtre. Alan regarde dans cette direction et voit un homme qui se retourne et s'éloigne du café. Il a l'impression qu'il s'agit d'un témoin qui a pris une photo qui pourrait être utilisée dans un chantage contre lui, au cas où il ne voudrait plus collaborer. Nunn May a décrit cet épisode dans un texte qui se trouvait dans ses archives au moment de sa mort.

Le scientifique fait partie du premier groupe qui arrive à Montréal. Avant son départ, son chef de cellule lui demande de trouver un appartement à l'abri des observateurs, où il pourrait devenir le centre d'un réseau de collecte de secrets nucléaires pour les Russes. Alan proteste : ce n'est pas du tout ce qu'il a en tête ; il est certes prêt à divulguer des informations importantes, mais il ne veut pas devenir un espion professionnel. Il accepte malgré tout d'être en contact avec les Russes à Montréal. Tout se déroule comme dans un roman. On l'incite, une fois sur place, à envoyer une carte postale à une jeune femme qui participe au stratagème à Londres. Alan doit alors s'attendre à la visite d'une personne qui l'abordera en disant : « Le bonjour d'Alex », ce qui est le nom de code de son mentor au Canada. C'est donc dans un drôle d'état d'esprit que Nunn May arrive à Montréal.

Comme pour les autres scientifiques du Laboratoire de Montréal, l'année 1943 est difficile pour Nunn May à cause du manque de collaboration des Américains. Il travaille entre autres sur l'absorption de neutrons par un isotope rare de l'oxygène, O_{17}, qui compte pour 0,04 % dans la composition de l'oxygène naturel. L'oxygène-17 absorbe beaucoup plus les neutrons que son cousin le plus abondant O_{16}. Alan monte une expérience pour mesurer l'absorption d'O_{17}, ce qui n'avait jamais été fait. C'est une information importante pour le Laboratoire de Montréal chargé de construire une pile modérée à l'eau lourde. Si O_{17} est trop absorbant, il faudra ajouter de la réactivité (par exemple en l'enrichissant davantage en uranium-235) pour avoir une pile opérationnelle. Nunn May monte son expérience dans une salle à part. Comme la source de neutrons qu'il possède est faible, il doit éviter toute interférence électromagnétique s'il veut que ses chambres d'ionisation, utilisées comme détecteurs, puissent fonctionner. Il recouvre tous les murs de la salle d'un papier enduit d'une mince couche de cuivre, ce qui agit comme écran électromagnétique et donne à la salle un air exotique et opulent. Son expérience fonctionne et il obtient des valeurs préliminaires sur l'absorption des neutrons par O_{17}.

Lorsque Cockcroft devient directeur, au début de 1944, les visites entre les laboratoires de Montréal et de Chicago sont à nouveau possibles. On accepte la proposition d'Alan de répéter son expérience à Chicago où se trouvent des sources de neutrons beaucoup plus puissantes que celles de Montréal. Il devient ainsi un des premiers scientifiques « montréalais » à visiter le groupe de Fermi où il se met à travailler en collaboration avec Herbert Anderson, physicien américain. Avec l'aide de Ted Hincks, jeune physicien canadien qui est son assistant, il fait livrer à Chicago l'équipement nécessaire. Avant son premier voyage, il reçoit une liste de questions d'ingénieurs et de physiciens de Montréal dont les réponses seraient très utiles pour faire avancer le projet de pile atomique à l'eau lourde. Les Canadiens ne peuvent normalement obtenir ces informations sans passer par les canaux officiels, ce qui prend beaucoup de temps. En arrivant à Chicago, Alan explique à Herbert Anderson les préoccupations des gens de Montréal et lui montre sa liste d'épicerie. Anderson accorde à Nunn May que les restrictions imposées par Groves et les autres responsables de la sécurité sont trop contraignantes, car interprétées trop littéralement. Il lui fournit donc un grand nombre de rapports que celui-ci lit lors de ses séjours à Chicago. Il prend des notes et les rapporte à Montréal pour la plus grande satisfaction de ses collègues, et cela à l'insu des agents de sécurité. Alan Nunn May répète son expérience comme prévu et confirme que l'absorption d'O_{17} est suffisamment faible pour ne pas avoir d'influence sur le réacteur canadien. Il devient ainsi un habitué des visites à Chicago. Lors du dernier périple à Chicago, Nunn May apprend par Anderson qu'une expérience importante sur les propriétés de l'uranium-233 et de l'uranium-235 vient d'être réalisée. Avant son départ, Anderson lui montre les échantillons des deux isotopes d'uranium, les divise en deux et en donne la moitié à Alan en l'incitant à reproduire l'expérience à Montréal. C'est très surprenant et difficile à croire étant donné qu'il existait très peu d'échantillons de ces substances, en particulier pour l'uranium-233, absent dans la nature. Mais, lors de son procès, Nunn May a confirmé que cet échange a bel et bien eu lieu.

Au début de 1945, alors qu'il est au Laboratoire, Alan reçoit un coup de téléphone d'une personne avec un fort accent étranger, qui doit lui remettre un message lors d'une rencontre. Intrigué, Alan accepte. Lors de cette entrevue, la première phrase prononcée par l'étranger est : « Le bonjour d'Alex ». Comme le physicien anglais l'apprendra plus tard, son contact est Pavel Angelov de l'ambassade de l'Union soviétique à Ottawa, envoyé par le fameux Zabotine. Angelov explique à Alan sa mission : colliger le plus d'informations possible sur la pile en construction à Chalk River. Alan réfléchit rapidement. Bien qu'au début de 1945 la défaite allemande soit pratiquement certaine et que les Russes ne soient plus menacés, il décide de collaborer afin d'empêcher les États-Unis d'être la seule puissance nucléaire de l'après-guerre. Il sait que le Royaume-Uni se prépare aussi à développer, indépendamment des États-Unis, des piles et probablement des bombes atomiques. Tout le monde soupçonne également les Français de vouloir en faire autant.

Angelov et Nunn May conviennent d'une façon de procéder. Alan tape à la machine, dans son appartement, des rapports résumant ce qu'il sait des travaux de Montréal et Chicago. Pour les rapports officiels du projet Tube Alloys, c'est plus compliqué, puisqu'ils ne doivent pas sortir du Laboratoire. Mais en fait, les chercheurs principaux apportent souvent ces rapports à la maison pour les lire durant la fin de semaine. Alan emprunte donc le vendredi, à la bibliothèque du Laboratoire de Montréal, des rapports qu'il prête à Angelov le soir même ; celui-ci les copie le samedi et les rapporte à Alan le dimanche. De cette façon, Alan communique aux Soviétiques l'essentiel des travaux sur la chimie et la métallurgie de l'uranium et du plutonium, ainsi que des problèmes rencontrés et des solutions apportées lors de la conception de la pile à l'eau lourde. Ces rapports sont cryptés, puis envoyés à Moscou par Igor Gouzenko.

Lorsqu'Anderson, à Chicago, donne des échantillons d'uranium-233 et 235 à Nunn May, ce dernier, au lieu de les apporter au Laboratoire de Montréal pour faire de nouvelles mesures, les refile à Angelov, qui les expédie à Moscou. Ces échantillons de quelques milligrammes sont très faciles à cacher. Nunn May continue son petit jeu jusqu'à l'été 1945, informant Moscou de toutes les rumeurs qui circulent au Laboratoire de Montréal à propos des essais atomiques américains au Nouveau-Mexique. Après Hiroshima et Nagasaki, les Américains publient le rapport Smyth qui donne les grandes lignes des recherches atomiques – sauf évidemment les détails sur la fabrication des bombes – effectuées durant la guerre. Après le démarrage du réacteur nucléaire ZEEP, le 5 septembre, la présence de Nunn May à Montréal n'est plus nécessaire, d'autant plus que les recherches britanniques démarrent au laboratoire d'Harwell. Il survole l'Atlantique et rejoint Londres en septembre 1945, très optimiste pour la suite de sa carrière.

Pendant l'automne 1945 et au début de l'hiver, Nunn May ne reçoit pourtant aucune tâche à accomplir. La défection de Gouzenko a bouleversé la donne et son cas est scruté au plus haut niveau, sans qu'il en soit alerté. Le 15 février 1946, Michael Perrin, scientifique coordonnateur du projet Tube Alloys pour le gouvernement britannique, convoque Alan dans son bureau de Londres. Nunn May pense que c'est pour discuter de sa place dans le projet anglais de recherche atomique. Perrin lui présente plutôt MM. Burt et Spooner, deux officiers du MI5, l'agence de renseignement britannique responsable des affaires internes du Royaume-Uni. Les premiers mots prononcés par Burt sont: « Le bonjour d'Alex ». Il accuse aussitôt Alan d'espionnage pour le compte des Russes, mais Nunn May dément énergiquement. Cette même journée, treize Canadiens sont arrêtés dans le cadre de l'affaire Gouzenko. Au cours des entretiens suivants, les officiers du MI5 font comprendre à Alan qu'ils possèdent des preuves irréfutables contre lui et qu'il sera de toute façon inculpé. Si Nunn May persiste à tout nier en bloc, il pourrait être extradé au Canada et de là peut-être aux États-Unis, où son éventuelle sentence pourrait être beaucoup plus sévère qu'en Angleterre. Son arrestation a lieu le 6 mars et son procès commence le 1er mai. L'affaire fait grand bruit. Tous les médias en font leur une au Canada et en Angleterre. Nunn May plaide coupable d'avoir contrevenu à la loi sur les secrets officiels. Son avocat, Gerald Gardiner, demande une peine réduite en arguant que l'Union soviétique était un allié au moment des faits. Le juge Oliver récuse ce plaidoyer et condamne Nunn May à dix ans de prison. Sa conduite en prison étant bonne, Nunn May est relâché avant la fin de sa peine, le 29 décembre 1952. Une foule de journalistes assiégeant la prison, les autorités lui permettent de sortir par une porte dérobée, d'où il est escorté jusqu'à une gare afin qu'il se rende chez son frère.

La presse le retrouve et fait le siège de la maison jusqu'à ce qu'il leur remette une déclaration écrite affirmant, en gros, qu'il ne veut donner aucune entrevue pour le restant

Le physicien Alan Nunn May (ici en 1953) transmit des informations confidentielles, et même des produits radioactifs, à l'URSS pendant qu'il travaillait au Laboratoire de Montréal. International Press, archives personnelles de Paul Broda.

de ses jours ; qu'il veut réfuter avoir été condamné pour trahison, cette accusation étant fausse puisqu'il voulait par-dessus tout que les Alliés gagnent la guerre contre l'Allemagne nazie et le Japon ; et enfin que sa seule préoccupation dès lors est de contribuer à la société par des travaux scientifiques.

Il sera très difficile pour Nunn May de réaliser son troisième objectif. Devenu persona non grata, on ne veut plus l'engager. Plus tard, il rencontrera Hilde Broda, ex-épouse d'Engelbert Broda, physicien autrichien réfugié en Angleterre qu'Alan avait côtoyé au laboratoire Cavendish juste avant de partir pour Montréal. Hilde et Alan se marient en 1953 et Alan devient le père adoptif de Paul, le fils d'Hilde et d'Engelbert. Ce mariage donnera lieu à de nombreuses spéculations, car Engelbert Broda était membre du Parti communiste et Hilde sympathisante. Les deux hommes ont toujours nié catégoriquement tout lien entre les activités d'espionnage d'Alan et les Broda. Le mariage d'Alan et Hilde sera heureux en dépit des difficultés de Nunn May à trouver un emploi. En 1961, le président ghanéen Kwame Nkrumah invite Alan à enseigner la physique à l'Université du Ghana, à Accra. Il accepte et Hilde vient le rejoindre en 1962. Alan devient directeur du département de physique et fait de la recherche en physique du solide. Il crée aussi un musée des sciences. Il prend sa retraite en 1978 et revient vivre à Cambridge, où il s'éteint le 12 janvier 2003, à 91 ans. Le cas de Nunn May est emblématique, mais il est loin d'être le seul scientifique-espion pendant la Seconde Guerre mondiale.

Les Britanniques et les Américains pressentaient d'ailleurs que les Russes, bien qu'alliés, les espionnaient directement sur leurs territoires. Le général Groves en particulier était presque paranoïaque à ce sujet. Il était viscéralement anticommuniste et soupçonnait tous ceux qui n'étaient pas Américains, en particulier les Français, et plus généralement tous les réfugiés du vieux continent. Malgré ses énormes responsabilités, il prenait le temps de vérifier les allées et venues des employés du Laboratoire de Montréal. C'est ainsi qu'au printemps 1945 il alerte le directeur Cockcroft à propos de voyages fréquents que Nunn May effectue à Chicago, ce qu'il trouve suspect. Cockcroft se porte garant de Nunn May, comme l'avait fait avant lui Chadwick au moment de l'embauche du physicien. Après tout, Nunn May n'est-il pas un bon Britannique qui a fait ses études à Cambridge? Pour les Anglais, si l'on vient de la bonne classe sociale, on est au-dessus de tout soupçon. Groves par-dessus tout n'aimait pas Halban, sûrement en raison de ses origines diverses (Autrichien et Français, parlant plusieurs langues), ce qui n'est pas anodin dans le remplacement de ce dernier par Cockcroft à la tête du Laboratoire. Après le voyage malheureux d'Halban à Paris en décembre 1944 pour rencontrer Joliot, Groves et les Américains s'arrangent pour qu'Halban soit pratiquement persona non grata. Il interdit aussi le retour rapide des autres Français du Laboratoire (comme Goldschmidt) dans l'Hexagone après la fin de la guerre.

Les services secrets britanniques avaient même déclenché une enquête sur Fritz Paneth, un homme qui pourtant avait quitté son pays natal et consacré des années de sa vie à la cause alliée pour lutter contre Hitler. Lorsque Paneth travaillait pour le projet Tube Alloys en Angleterre en 1942, des voisins l'avaient dénoncé à la police comme espion potentiel, parce qu'il parlait allemand avec son épouse à la maison et qu'ils prenaient leurs petits-déjeuners tardivement dans la matinée[3] !

Mais Groves et les services secrets britanniques et américains ont laissé passer entre leurs mailles un homme qui selon toute vraisemblance fournissait également des informations aux Russes. Il était par contre actif dans le réseau d'un service différent, en compétition avec le GRU : le NKVD, l'ancêtre du KGB. Le parcours mystérieux de cet homme-clé dans le Laboratoire apporte un éclairage supplémentaire aux fuites du secret nucléaire montréalais, car elles se sont poursuivies, même après la guerre. L'étude de son cas est indispensable pour saisir l'ampleur des fuites au laboratoire canadien.

---

3. « Friedrich Adolphus Paneth, 1940-1954 », archives nationales du R.-U., dossiers des Services de sécurité, dossier KV 2/2423.

Bruno Pontecorvo, un homme clé

Comme nous l'avons vu, Enrico Fermi est un des scientifiques les plus efficaces dans les recherches nucléaires. Son intelligence et son charisme ont propulsé le projet américain. Il a en outre formé de nombreux chercheurs à ses méthodes. Avoir un de ces talents dans son équipe est un véritable atout pour un projet nucléaire d'avant-garde. En novembre 1942, sur recommandation de Bertrand Goldschmidt, Halban et Placzek ont rendez-vous avec un de ceux-là : Bruno Pontecorvo. Le Laboratoire de Montréal vient d'être mis sur pied. Cette rencontre tombe à point nommé pour Pontecorvo, puisqu'il ressent de plus en plus de frustration au travail dans une compagnie d'exploration pétrolière en Oklahoma. Halban et Placzek expliquent à Pontecorvo ce qui l'attend au Laboratoire de Montréal : il s'agit de concevoir une pile atomique utilisant de l'eau lourde. Ce dispositif est destiné à fournir de l'énergie pour la période d'après-guerre, mais également des isotopes fissiles de plutonium nécessaires pour la bombe. Pontecorvo accepte la proposition, et la famille se prépare à déménager. Il démissionne de son poste au début janvier 1943 et se rend à New York pour être officiellement engagé dans le projet Tube Alloys en tant que membre du groupe de physique instrumentale, sous la direction du Français Pierre Auger. Il reste à New York quelques semaines, le temps d'être mis au courant des derniers développements dans les recherches atomiques. Le 7 février 1943, Bruno, son épouse Marianne et leur fils Gil arrivent à Montréal. Après l'Oklahoma, c'est un choc, car le thermomètre tombe régulièrement sous les -20 °C. Ils louent un appartement près du chemin de la Côte-des-Neiges, avec vue sur l'oratoire Saint-Joseph. Bruno peut ainsi se rendre à pied au travail dans le nouveau bâtiment de l'Université de Montréal.

Pontecorvo prendra part à la plupart des projets du Laboratoire de Montréal. Il fait expressément partie du groupe de physique expérimentale, mais il se mêle souvent aux chimistes et aux physiciens théoriques. Il met à profit ses repas pour discuter avec ces derniers de physique théorique, mais aussi de philosophie et d'actualité. C'est à ce moment qu'il commence à s'intéresser au sujet qui occupera la majeure partie de sa vie scientifique après la guerre : les neutrinos. Après le déblocage avec les Américains en 1944, Bruno participe à la plupart des voyages à Chicago et c'est généralement lui qui signe les rapports. Sa contribution est très appréciée par les dirigeants britanniques. Son expertise dans la recherche de formations rocheuses qu'il avait développée en travaillant pour Well Surveys en Oklahoma est aussi utilisée, cette fois pour trouver de nouveaux gisements d'uranium au Canada. Il se rend à New York pour rencontrer Gilbert LaBine, président des Mines Eldorado, qui, comme nous l'avons vu, possède de grandes mines d'uranium dans les Territoires du Nord-Ouest. Bruno se rend même, pour quelques jours en septembre 1944, à Port Radium, près du Grand lac des Esclaves, afin d'aider à l'ajustement des instruments de prospection. Pontecorvo travaille également sur les instruments de mesure du ZEEP ainsi que sur la conception du réflecteur, une masse d'eau située à l'extérieur de la pile qui, comme son nom l'indique, sert à réfléchir vers le cœur de la pile les neutrons qui tentent de s'échapper. Bruno est présent le 5 septembre 1945 à Chalk River au moment de la divergence du ZEEP, le petit réacteur dont Kowarski est le « père ». En fait, Pontecorvo est très activement impliqué dans la vie du Laboratoire. Alma Chackett a gardé un très bon souvenir de cet homme et de sa « très jolie épouse », qui se mêlait facilement aux jeunes employés. Mais ce que personne ne sait au Laboratoire de Montréal, c'est qu'il y a une ombre dans le passé de Pontecorvo.

Le passé de Bruno Pontecorvo

Bruno Pontecorvo est né à Marina di Pisa, en Toscane, au centre de l'Italie, en août 1913. C'est le quatrième enfant sur huit, au sein d'une famille juive très unie. Ses quatre frères et trois sœurs feront tous de grandes carrières : l'aîné, Guido, est un généticien reconnu en Grande-Bretagne, Paolo fait des études d'ingénieur, Gillo, dont Bruno est particulièrement proche, devient cinéaste et sa sœur Giuliana est journaliste. Son père, descendant d'une famille nantie de Pise, dirige une usine de textile. Mais c'est surtout un antifasciste notoire qui reste proche de ses ouvriers. Très jeune, Bruno montre des aptitudes pour les mathématiques et les sciences. Sur les conseils insistants de Guido, il se présente à Rome en 1931, âgé de seulement 18 ans, pour se joindre au groupe d'Enrico Fermi. Guido Pontecorvo connaît bien Franco Rasetti, physicien et ami proche de Fermi. Guido et Franco font partie du même club alpin et ont escaladé plusieurs montagnes ensemble. Après avoir réussi l'examen sommaire que lui fait passer Fermi, Bruno entre à l'université de Rome. Il fait ses études en physique et rejoint officiellement le groupe de Fermi en 1934, année des grandes découvertes. Pontecorvo est coauteur de deux des articles les plus importants du groupe de Rome sur l'augmentation de la radioactivité artificielle dans l'uranium grâce à l'eau et à la paraffine qui ralentissent les neutrons. Pontecorvo est également inclus dans le brevet déposé par Fermi relativement à cette découverte. En 1936, devant la montée du fascisme, Pontecorvo quitte l'Italie et se joint au laboratoire Curie à Paris. Il y passe les quatre années suivantes et continue ses recherches. C'est pendant son séjour à Paris, alors qu'il réside à l'Hôtel des Grands Hommes, au nom pompeux, mais aux chambres sans confort, qu'il rencontre Marianne Nordblom, une Suédoise de 18 ans venue apprendre le français. Ils démarrent une liaison, qui durera toute leur vie. Laura Fermi dans son livre sur la vie de son époux, Enrico, affirme que Bruno est un très bel homme. Il incarne le stéréotype de l'italien charmeur, qui aime accaparer l'attention lors des soirées[4]. Marianne tombe enceinte et commence à vivre avec Bruno au début de l'année 1938, alors qu'ils ne sont pas mariés. À l'époque, c'est une situation complexe pour une jeune femme. Marianne accouche d'un garçon, Gil, en juillet. Les deux années suivantes sont difficiles pour le couple : l'argent manque cruellement et la nationalité de Marianne pose des problèmes. À peine six semaines après la naissance de son fils, elle doit retourner en Suède et laisse Gil dans un foyer, au nord de Paris. Après de multiples péripéties, elle revient à Paris plus d'un an plus tard, au début de septembre 1939, au moment où la guerre commence. Bruno et Marianne se marient à Paris au début de 1940.

---

4. Laura Fermi, *Atoms in the Family. My Life with Enrico Fermi*, University of Chicago Press, 1954.

C'est également à Paris que Bruno Pontecorvo commence à s'intéresser au communisme, encouragé par quelques membres de sa famille, dont son cousin Emilio Sereni. Pontecorvo est très inquiet des avancées du fascisme en Europe comme en témoigne sa correspondance personnelle. À la fin août 1939, Bruno devient membre du Parti communiste français. Cette décision aura plus tard des conséquences importantes dans sa vie. Lorsque les Allemands envahissent la France, Bruno réussit à obtenir un permis de voyage pour Marianne et Gil pour un aller simple à Toulouse où résident depuis deux ans sa sœur Giuliana et son mari. Marianne et Gil quittent Paris en train le 3 juin avec leurs bagages. Ils arrivent sains et saufs chez Giuliana. Bruno reste à Paris jusqu'à l'arrivée des Allemands. Frédéric Joliot voulait qu'il accompagne Kowarski et Halban vers Clermont-Ferrand, mais les services secrets français s'y opposent parce que Bruno n'a pas la nationalité française et peut-être en raison de ses convictions politiques. Quelques membres de la famille Pontecorvo sont toujours à Paris au moment où l'armée allemande avance sur la capitale. La veille de l'arrivée des Allemands, ils se décident enfin à prendre la fuite. Il est presque trop tard, aucun moyen de transport n'étant disponible. Des centaines de milliers de personnes fuient Paris et bloquent toutes les routes qui descendent vers le sud. Les Pontecorvo quittent Paris à vélo. Leur plan est de rouler jusqu'à ce qu'ils trouvent un taxi ou un train en route vers le sud. Lourdement chargés, ils parcourent quelque soixante kilomètres dans la première journée et dorment dans une auberge. Le lendemain matin, ils s'aperçoivent au réveil que la place du village est occupée par des tanks allemands. Ils décident malgré tout de poursuivre vers le sud, au milieu d'un chaos de voitures en panne. Heureusement, personne ne les arrête et ils atteignent les environs d'Orléans. Plus question d'aller à l'auberge, tout est occupé et des gens dorment à la belle étoile un peu partout. Au bout de dix jours de vélo, les Pontecorvo atteignent leur destination et la petite famille de Bruno est réunie. Par un très heureux hasard, un autre membre du groupe de Rome déjà aux États-Unis a envoyé à Bruno une offre d'emploi pour une firme d'exploration pétrolière en Oklahoma. Muni de cette lettre, Bruno entreprend les démarches pour émigrer aux États-Unis en pleine guerre. Les Pontecorvo quittent Toulouse le 19 juillet. Cinq jours de train sont nécessaires pour atteindre Lisbonne. Après les péripéties des deux derniers mois, ils sont étonnés d'y trouver le calme. La guerre semble bien loin. Malheureusement, Marianne qui était enceinte depuis trois mois fait une fausse couche. Bien qu'elle ne se sente pas en forme pour faire le voyage transatlantique, ils n'ont pas le choix. Le 19 août 1940, ils entrent dans le port de New York. Par la suite, comme on l'a vu, Bruno travaille en Oklahoma jusqu'à son recrutement par le Laboratoire de Montréal début 1943. Cette étape de sa vie culmine par le démarrage du ZEEP le 5 septembre 1945.

L'évaporation de Pontecorvo

Après la guerre et la mise en fonction de ce petit réacteur nucléaire, Bruno Pontecorvo reçoit plusieurs offres intéressantes d'universités américaines et européennes. Dans un premier temps, à la surprise de plusieurs collègues, il décide de se joindre au laboratoire d'Harwell en Angleterre, puis change d'idée et reste à Chalk River. La raison, dit-il, est qu'il a beaucoup travaillé à la conception du NRX, le grand réacteur à eau lourde en construction à Chalk River, et qu'il veut participer à sa mise en service. Il est d'ailleurs un des seuls physiciens présents dans la salle de commande, le 21 juillet 1947, lorsque se produit la divergence dans le NRX. C'était alors le réacteur ayant le flux de neutrons le plus élevé au monde, ce qui en faisait un outil idéal pour la recherche. Pendant son séjour à Chalk River, entre 1945 et 1947, il consacre de plus en plus de temps à ses recherches sur le neutrino. Il écrit un nouveau rapport en 1946, dans lequel il mentionne pour la première fois ce qui le rendra célèbre : les neutrinos solaires. Les réactions nucléaires qui se produisent dans le Soleil émettent une quantité gigantesque de neutrinos. Au niveau du sol terrestre, nous recevons en provenance du Soleil environ 10 milliards de neutrinos par centimètre carré chaque seconde. Pontecorvo propose une méthode pour détecter les neutrinos qui sera finalement mise en œuvre quelques années après.

En 1949, Bruno Pontecorvo accepte un poste au laboratoire d'Harwell en Angleterre où il travaille sur le programme d'énergie nucléaire britannique. Il fait aussi des recherches fondamentales sur les rayons cosmiques. Il s'installe dans le village d'Abingdon, à mi-chemin entre Harwell et Oxford, avec Marianne et leurs trois garçons, Gil, Antonio et Tito. À l'été 1950, la famille va faire du camping en France, en Suisse et en Italie en compagnie d'Anna, la sœur de Pontecorvo. Ils quittent Harwell le 24 juillet et prévoient y revenir le 7 septembre. Ils arrivent au lac de Côme le 31 juillet. Anna quitte les Pontecorvo pour quelques jours, tandis que Bruno et sa famille continuent vers les Dolomites. Ils vont ensuite rendre visite aux parents de Bruno à Milan. Avant de les quitter, il leur donne rendez-vous à Chamonix à la fin du mois d'août, puisqu'il doit s'y rendre pour une expérience sur les rayons cosmiques. Ils reprennent la route vers le sud et s'arrêtent d'abord à Ladispoli, près de Rome, où Giuliana, une autre sœur de Bruno, passe l'été. Bruno et Marianne continuent jusqu'à Circeo, station balnéaire à deux heures plus au sud, où ils montent leurs tentes. Le 22 août, Bruno fête ses 37 ans en compagnie de son frère Gillo et de sa sœur Anna. Jusque-là tout a l'air normal. Le 24 août, le jour où Bruno doit retrouver ses parents à Chamonix, il ne s'y présente pas. Il envoie plutôt une lettre d'excuses prétextant un problème de voiture. Puis, le 29 août, il disparaît complètement avec sa famille sans laisser de traces. Il ne revient pas à Harwell au début septembre. En fait, à l'ouest, on restera sans nouvelles pendant cinq ans, laissant libre cours à toutes sortes de rumeurs.

Puis, en février 1955, l'épais mystère entourant cette disparition se lève d'un seul coup : un article paraît dans le journal soviétique *Izvestia*, dans lequel Bruno Pontecorvo donne une entrevue et explique qu'il a fait défection en URSS à cause des « souffrances morales » qu'il a éprouvées comme physicien après les bombardements atomiques d'Hiroshima et de Nagasaki et à cause des interrogatoires insupportables de la police lorsqu'il travaillait à Harwell. Les événements qui ont mené à cette défection, au beau milieu des vacances, ont été admirablement retracés par Frank Close dans sa biographie de Bruno Pontecorvo, *Half-Life*[5]. Voici ce que Frank Close a pu reconstituer.

---

5. F. Close, *Half-Life, the divided life of Bruno Pontecorvo, physicist or spy*, Basic Books, 2015.

Comme nous l'avons vu, Pontecorvo est devenu membre du Parti communiste français, alors qu'il travaillait au laboratoire de Joliot au début de la guerre. Il garde ses convictions tout au long de la guerre, mais fait très attention de ne pas les dévoiler après son arrivée aux États-Unis et quand il travaille à Montréal, à Chalk River et à Harwell. Beaucoup de ses collègues pensent alors qu'il n'a pas d'opinion politique. À l'automne 1942, alors qu'il négocie pour se joindre au Laboratoire de Montréal, le FBI perquisitionne sa maison de Tulsa en Oklahoma et interroge sa femme. Les agents rédigent un rapport selon lequel Bruno serait un sympathisant communiste et ils suggèrent qu'on ne lui confie pas de poste dans des projets militaires secrets. Ce rapport est commenté par le FBI dans un échange de lettres avec le bureau de la coordination de la sécurité britannique à Washington. À cause d'une erreur administrative, cette correspondance n'est pas transmise aux autorités concernées, et Bruno reçoit son habilitation de sécurité pour travailler au projet Tube Alloys. Le rapport tombe finalement dans l'oubli pendant près de huit ans.

Or, vers la fin de 1949, l'hystérie provoquée par le maccarthysme incite à faire passer des tests de « loyauté » aux employés du gouvernement fédéral et des universités américaines : chacun doit dire s'il a des sympathies communistes ou s'il connaît quelqu'un qui en a. Emilio Segrè (l'auteur de la photographie de couverture), un des compagnons de Pontecorvo dans le groupe de Rome, travaille à l'Université de Californie, qui applique avec le plus grand zèle les consignes du sénateur McCarthy. Segrè rencontre Robert Thornton, un ami qui travaille pour la nouvelle commission de l'énergie atomique (Atomic Energy Commission, AEC) et lui dit qu'il sait que plusieurs des frères et sœurs de Pontecorvo sont ouvertement communistes et que son cousin, Emilio Sereni, est un communiste membre du gouvernement italien. Thornton relaie ces informations au FBI qui retrouve le rapport de 1942 dans le dossier Pontecorvo. Le FBI en avise le MI5, son homologue anglais. Celui-ci prend plusieurs mois à réagir, probablement parce qu'il est débordé par le traitement du cas de Klaus Fuchs en ce début 1950. Fuchs, un physicien allemand antifasciste naturalisé britannique, est un espion soviétique qui travaillait au cœur du projet Los Alamos. C'est lui qui a transmis à Moscou les informations les plus importantes au sujet des mécanismes des bombes atomiques. Il est découvert grâce à un programme de déchiffrement américain, qui en même temps incrimine Ethel et Julius Rosenberg, qui seront exécutés sur la chaise électrique de Sing Sing en 1953.

À partir du printemps 1950, Pontecorvo sent qu'il a éveillé les soupçons. À la fin avril, il se rend à Paris pour participer aux célébrations du 50ᵉ anniversaire de Frédéric Joliot. L'ambiance est à la fête jusqu'à ce que Joliot prenne la parole pour annoncer que, l'après-midi même, il a été relevé de son poste de directeur du Commissariat à l'Énergie Atomique parce qu'il est ouvertement communiste. Il parle ensuite pendant ce qui semble des heures. Pontecorvo en sort secoué. Au cours de l'été suivant, un agent secret britannique qui travaille à Harwell, Henry Arnold, a plusieurs discussions avec Pontecorvo, au cours desquelles ce dernier reconnaît que des membres de sa famille sont communistes, mais affirme que lui-même ne l'est pas. Sous les pressions du MI5, on offre à Pontecorvo un poste de professeur à Liverpool, où un grand accélérateur de particules est en construction, afin qu'il ne soit plus en contact direct avec les recherches atomiques. Pontecorvo voit ce qui se passe aux États-Unis avec la chasse aux sorcières lancée par McCarthy. C'est dans cet état d'esprit et ayant accepté un poste à Liverpool que Bruno part en vacances avec sa famille. Son sort est en revanche scellé, car de nombreux événements vont survenir durant l'été.

Le 13 juillet, l'agent de liaison des services secrets britanniques à Washington, Geoffrey Patterson, écrit à ses supérieurs de Londres au sujet de Bruno Pontecorvo. Il les informe que le FBI détient des informations remontant à 1942 révélant que Bruno et son épouse sont communistes. Il semble bien, en outre, que le service secret américain cherche à approfondir son enquête sur les Pontecorvo. Selon toute vraisemblance, un agent double soviétique qui travaille pour le MI6 à Washington intercepte le message de Patterson au sujet des Pontecorvo et le transmet à ses contacts en URSS. Alors que Klaus Fuchs et la majeure partie du réseau d'espions aux États-Unis viennent d'être démasqués, les Soviétiques tentent de limiter les dégâts et font sortir des États-Unis leurs agents non encore soupçonnés. Frank Close, dans *Half Life*, émet l'hypothèse que les Soviétiques menacent alors Pontecorvo de révéler ses activités d'espionnage pour le forcer à faire défection[6].

Après avoir rejoint Rome en famille, Bruno Pontecorvo achète des billets d'avion pour Stockholm. Le 1er septembre, sans en avertir personne, tout ce beau monde s'envole vers la Suède et passe la nuit dans un hôtel réservé par l'ambassade soviétique. Le lendemain matin, la famille

---

6. *Ibid.*, p. 312.

Le physicien de classe internationale Bruno Pontecorvo, un des rouages importants du Laboratoire de Montréal, est soupçonné d'avoir également fait partie d'un réseau d'espionnage pour aider les Russes à combler leur retard sur les Américains dans le domaine nucléaire. Photographe inconnu, Archivio GBB, Alamy Stock Photo.

reprend l'avion, cette fois pour Helsinki où elle passe la nuit suivante. Deux véhicules viennent les chercher le 3 septembre. Les enfants et Marianne embarquent dans une voiture et Bruno se cache dans le coffre de la seconde. Ils roulent à travers l'immense forêt finlandaise et entrent en URSS à Vyborg. Une centaine de kilomètres plus loin, Bruno sort du coffre. C'est ainsi qu'à 37 ans il laisse derrière lui son travail, ses amis, ses frères et sœurs. C'est surtout à cet instant que commence le dernier épisode de sa vie qui finira en Union soviétique.

Cette fuite précipitée laisse penser que Pontecorvo a fait de l'espionnage au profit des Russes et que l'affaire Gouzenko ne l'a pas directement révélé. Ceux qui ont été démasqués (ainsi que les Cinq de Cambridge et Klaus Fuchs) faisaient partie du réseau du GRU, service de renseignement militaire de l'Union soviétique. Un autre réseau, organisé par le KGB, existe parallèlement à celui du GRU. Le KGB est l'organe chargé de la sécurité de l'URSS, de la police politique et des services de renseignement. Le GRU relève de l'armée, le KGB directement de Staline. On sait que Staline demande que les informations d'un service de renseignement soient corroborées par les agents de l'autre avant de s'y fier. Si Bruno passait des renseignements par l'intermédiaire des agents du KGB, Gouzenko n'en aurait pas eu connaissance et c'est pourquoi Pontecorvo n'aurait pas été mentionné dans les papiers remis aux autorités canadiennes.

Quoi qu'il en soit, Pontecorvo et son épouse passent le reste de leurs jours en URSS. Bruno est affecté au centre de recherches nucléaires de Doubna qui vient d'être construit à une centaine de kilomètres au nord de Moscou. Le plus grand accélérateur de particules au monde s'y trouve, jusqu'à la construction de celui de Brookhaven à New York, trois ans plus tard. Bruno reprend ses recherches sur les neutrinos, qu'il poursuivra tout au long de sa vie. Il apporte des idées fondamentales sur les neutrinos et leur particule d'antimatière, les antineutrinos, et suggère en 1959 que les neutrinos se déclinent en deux versions : les neutrinos-e (pour électron) et les neutrinos-mu (pour muon). Lorsque sortent les résultats des premières expériences réalisées pour détecter les neutrinos-e émis par le Soleil, il y a un problème : il manque des neutrinos, on observe seulement le tiers de ce que la théorie prévoit. C'est à nouveau Pontecorvo qui propose la solution baptisée : oscillation des neutrinos. Il suggère que les neutrinos « oscillent » entre les différents types et qu'un tiers des neutrinos-e solaires se transforment en neutrino-mu et un autre tiers en neutrino-tau au cours de leur voyage entre le Soleil et la Terre. Après sa fuite en URSS, Pontecorvo n'est jamais revenu au Canada. Mais ironie de l'histoire, c'est un laboratoire ontarien qui confirmera sa théorie. En 2015, Art McDonald, directeur des expériences réalisées dans ce laboratoire, recevra le prix Nobel de physique. On peut penser que Pontecorvo l'aurait sans aucun doute reçu des années auparavant s'il n'avait fait défection en 1950.

Pendant ses cinq premières années en URSS, les autorités lui interdisent tout contact avec l'extérieur. À partir de 1955 et pour les vingt-trois années suivantes, on ne lui permet que d'envoyer des lettres à sa famille. Ce n'est qu'en 1978 qu'il pourra voyager à l'extérieur et qu'il retrouvera sa sœur Anna, après une longue séparation. Cette même année, il montre les premiers signes de la maladie de Parkinson, qui l'emportera. La fin de sa vie est plutôt triste. Après la chute de l'Union soviétique, il accorde une longue entrevue à Miriam Mafei, journaliste italienne communiste, où il dit regretter d'avoir dû endosser les décisions des autorités soviétiques toute sa vie. Il continuera à travailler à Doubna jusqu'à la fin. Il meurt le 24 septembre 1993 à 80 ans.

Comme nous l'avons vu, Gouzenko n'avait rien à dire sur les possibles activités d'espionnage de Pontecorvo. Il avait par contre beaucoup à raconter sur des dizaines d'autres scientifiques canadiens.

La commission Kellock-Taschereau

Après la défection de Gouzenko, les autorités canadiennes contactent les gouvernements britannique et américain. Ils décident d'un commun accord de garder secrètes, pour l'instant, ces révélations, afin d'enquêter en profondeur sur les personnes identifiées par Gouzenko. Treize Canadiens mis en cause par ses révélations sont arrêtés le 15 février 1946 et vingt-six autres le 14 mars. Sur ces

39 personnes, 18 seront reconnues coupables d'espionnage, 16 seront acquittées et 5 libérées sans inculpation. L'affaire Gouzenko, comme on l'appelle rapidement dans les médias, force le gouvernement canadien à instaurer, le 5 février 1946, une commission royale d'enquête sur l'espionnage au Canada, la commission Kellock-Taschereau. Parmi les accusés, on retrouve, entre autres, Fred Rose, député communiste de Montréal, et Sam Carr, un des principaux organisateurs du Parti communiste du Canada. Les deux seront jugés coupables et condamnés à dix et sept ans d'emprisonnement respectivement. Après avoir purgé leurs peines, ils émigreront en Pologne, où ils termineront leurs jours. La révélation la plus délicate de Gouzenko concerne le Laboratoire de Montréal. Il affirme que deux scientifiques ont transmis des documents, des plans et même du matériel radioactif à l'ambassade d'URSS et à des contacts aux États-Unis. En plus de Nunn May, Gouzenko implique Norman Veall, un jeune physicien qui travaille dans son département. Lors du procès, Veall sera complètement exonéré par son aîné et ne fera l'objet d'aucune accusation. Après la guerre, Veall travaillera en médecine nucléaire dans des hôpitaux londoniens et deviendra une sommité mondiale en la matière.

Au printemps 1946, la Commission royale d'enquête sur l'espionnage, ou commission Kellock-Taschereau, implique neuf scientifiques (dont Alan Nunn May et Norman Veall) dans des activités d'espionnage au profit de l'Union soviétique. Parmi les autres, on trouve Raymond Boyer (chimiste, Université McGill, projet RDX), Israel Halperin (mathématicien, Centre canadien pour le développement et la recherche en armements) et Phillip Dunford Smith (physicien, CNRC, recherches sur le radar)[7]. Halperin, qui refuse de parler pendant son procès, est finalement acquitté. Boyer est condamné à deux ans de prison et Dunford Smith à cinq.

Quand on se penche sur les espions qui ont travaillé pour l'Union soviétique à l'intérieur des grands projets militaires canadiens, britanniques et américains, on se rend compte que la contribution de Nunn May et de Boyer est somme toute bien faible. Les informations de loin les plus importantes proviennent directement de Los Alamos, là où les Américains développent la théorie et les mécanismes précis des bombes à l'uranium et au plutonium. Cela ne minimise pas l'affaire Gouzenko, qui a été en quelque sorte le déclenchement de la Guerre froide. C'est en effet la première histoire avérée d'espionnage soviétique en territoire allié. Après la publication du rapport Smyth le 12 août 1945, les « secrets » fournis par Nunn May sont presque tous devenus publics. Il va de soi que même sans les informations reçues au moyen de son réseau d'espionnage, la science russe était assez avancée pour pouvoir développer la bombe. On estime par contre que, grâce aux informations reçues de Los Alamos et d'autres sites nucléaires, les savants et ingénieurs soviétiques ont pu gagner deux ans sur la construction de la bombe A. Autrement dit, l'URSS aurait fait exploser « Joe One », comme les Américains surnommaient la première bombe soviétique, en 1951 plutôt qu'en 1949. Hiroshima et Nagasaki obnubilaient Staline et il n'avait de cesse de

7. R. Taschereau et R. L. Kellock, « The report of the Royal Commission Appointed under Order in Council P.C. 411 of February 5, 1946 to Investigate the Facts Relating to and the Circumstances Surrounding the Communication, by Public Officials and Other Persons in Positions of Trust of Secret and Confidential Information to Agents of a Foreign Power », Gouvernement du Canada, 1946.

développer ses propres bombes pour faire contrepoids aux Américains. Les deux attaques nucléaires des 6 et 9 août 1945 sur le Japon changèrent complètement la donne, tant en matière de politique internationale que sur le plan personnel pour des millions de personnes, dont les employés du Laboratoire de Montréal.

Conclusion

Hiroshima et Nagasaki

Les employés du Laboratoire de Montréal apprennent en même temps que tout le monde l'explosion d'une bombe atomique sur Hiroshima. Selon la chimiste Alma Chackett, c'est Leo Yaffe qui se rend en ville le 7 août au matin et découvre les titres des journaux. Il en rapporte un exemplaire au Laboratoire de Montréal, où la nouvelle est accueillie par un silence inhabituel. Plusieurs personnes du Laboratoire connaissaient un des buts des recherches : produire des matières pour une nouvelle arme d'une puissance destructrice inouïe. Une vingtaine de personnes au Laboratoire de Montréal savaient que les Américains étaient en possession de la bombe dès juin 1945 et qu'un test avait eu lieu.

Mais la grande majorité des employés n'avait qu'une idée très vague du but réel des recherches et ils ont été très surpris d'apprendre que leur projet était en fait relié à la bombe atomique. Quatre jours après le bombardement de Nagasaki, le gouvernement canadien émet un communiqué qui donne les détails et le but du projet Tube Alloys et du Laboratoire de Montréal, ainsi qu'une liste de scientifiques qui y ont travaillé. Il est difficile de s'imaginer aujourd'hui qu'un communiqué gouvernemental contienne autant d'explications sur un sujet de science fondamentale et appliquée. Ce document s'intitule « Le rôle du Canada dans le drame de la bombe atomique ». On y lit que « le largage de la première bombe atomique est le point culminant du travail de scientifiques de plusieurs nations, la mise en commun des ressources scientifiques et naturelles des États-Unis, de la Grande-Bretagne et du Canada et a nécessité la dépense de centaines de millions de dollars aux États-Unis et d'une somme plus petite, mais substantielle au Canada pour une usine et de l'équipement, dans l'effort scientifique le plus important jamais fourni pour l'obtention d'une nouvelle arme. » On y décrit ensuite brièvement le Laboratoire de Montréal et le site de Chalk River. Une question revient très souvent quand on parle du Laboratoire de Montréal. Il s'agit de savoir si le Canada a directement ou indirectement participé au largage des bombes nucléaires sur Hiroshima et Nagasaki.

Au début de la guerre, lorsque le projet Tube Alloys a été mis sur pied, le but était limpide : développer la bombe atomique avant les Allemands. Imaginer Hitler en possession de la bombe est un cauchemar. Étant donné les crimes contre l'humanité dont ils sont déjà responsables, les Allemands n'auraient probablement pas hésité à s'en servir contre l'Angleterre et d'autres pays. La question éthique liée au développement de la bombe n'est alors pas un obstacle pour les participants au projet atomique anglais, en particulier pour tous ceux qui ont fui l'invasion nazie : Frisch, Peierls, Paneth, Kowarski, Halban, Pontecorvo, Goldschmidt... En outre, comme dans tous les mégaprojets, une dynamique s'instaure, où l'atteinte du but final devient un objectif commun. Par la suite, construire la bombe semble être un moyen de raccourcir le conflit. Au sein du projet Manhattan,

˜c'est clairement ce que Groves, Oppenheimer et Roosevelt ont en tête. Ils savent qu'ils devront rendre des comptes au Congrès américain à l'issue de la guerre. Sinon, comment justifier des dépenses d'environ deux milliards de dollars?

Mais à partir de mai 1945, devant l'imminence de la production réelle de bombes atomiques, certains scientifiques du projet Manhattan se posent des questions. En juin, à l'initiative de James Franck, un groupe de sept scientifiques du laboratoire de Chicago[8] écrit une note proposant que les armes nucléaires soient placées sous contrôle international afin d'empêcher une course aux armements et suggérant de procéder à une explosion de démonstration plutôt que de les utiliser directement contre le Japon. C'est le rapport Franck, rendu public en 1946[9]. Une réunion du comité intérimaire qui chapeaute l'accord de Québec entre les Britanniques et les Américains a lieu pour considérer la note de James Franck et faire des recommandations aux chefs militaires et politiques. Le comité intérimaire consulte sa commission scientifique, composée d'Arthur Compton, Enrico Fermi, Ernest Lawrence et Robert Oppenheimer, à ce sujet. Après de longs débats, la commission scientifique ne voit d'autre alternative qu'une utilisation de la bombe à des fins militaires durant la guerre. Les scientifiques considèrent la possibilité d'une démonstration technique, mais pensent que c'est peu probable que cela force le Japon à la

---

8. Les signataires de la note sont : James Franck, Donald J. Hughes, James J. Nickson, Eugene Rabinowitch, Glenn Seaborg, Joyce C. Stearns et Leo Szilard.

9. «A Report to the Secretary of War, June 1945 », *Bulletin of the Atomic Scientists*, vol. 1, n° 10, 1ᵉʳ mai 1946.

reddition. On craint aussi que, si le Japon est averti, il déplace des prisonniers de guerre sur les lieux de la démonstration. Le comité intérimaire recommande donc que la bombe soit utilisée aussitôt que possible contre le Japon, sans avertissement, et sur une usine de guerre entourée de bâtiments[10]. On ne sait pas si une recommandation différente aurait eu un impact sur le commandement militaire américain et le président Truman. Selon Groves, Truman aurait même considéré en décembre 1944 utiliser la bombe contre l'Allemagne si elle avait été prête à ce moment-là[11]. La décision d'utiliser la bombe contre le Japon sur un objectif militaire avait été prise en haut lieu dès le mois de mai. C'est ainsi que les 6 et 9 août 1945, les États-Unis larguèrent deux bombes atomiques sur Hiroshima et Nagasaki.

Malgré toutes les années, il y a toujours débat sur la justesse de cette décision et sur ce qui se serait passé si les Américains avaient fait un test de démonstration. Les bombes atomiques larguées sur les populations civiles japonaises ont probablement permis de mettre fin plus rapidement à la guerre, épargnant ainsi la vie de nombreux militaires et civils américains et japonais. Mais ces vies sauvées valent-elles l'horreur d'Hiroshima et de Nagasaki? Il est vrai aussi que certaines séries de raids aériens ont été plus meurtrières que les bombes atomiques. Le bombardement de Dresde du 13 au 15 février 1945 a détruit presque entièrement la ville à cause de l'utilisation

---

10. M. Gowing, *op. cit.*, p. 374.

11. Interview de Groves par Fred Reed, 1963, National Archives and Records Administration, RG 200, boîte 4, « Groves, Leslie » cité dans Alex Wallerstein « Would the atomic bomb have been used against Germany ? », blog.nuclearsecrecy.com, consulté le 18 juin 2020.

de bombes incendiaires causant entre 250 000 et 300 000 morts selon les estimations. Le Canada a participé à ce bombardement, mais a-t-il également participé à ceux d'Hiroshima et Nagasaki ?

Les chapitres précédents montrent que le Canada a participé au développement de l'arme atomique entrepris par les Britanniques (qui n'a pas abouti pendant la guerre) et indirectement à l'entreprise américaine. Mais le Canada a-t-il directement participé, volontairement ou non, au développement et à la fabrication des bombes atomiques lancées sur le Japon ? Et a-t-il participé aux décisions politiques autorisant ces bombardements ? Il pourrait avoir participé matériellement aux bombes atomiques d'Hiroshima et de Nagasaki en fournissant de l'uranium, du plutonium, de l'eau lourde (utilisée dans les réacteurs nucléaires qui fournissaient du plutonium) ou du polonium (utilisé comme amorce dans les bombes au plutonium). Le Canada pourrait aussi avoir participé aux bombes par un apport intellectuel en aidant à la conception et aux recherches menant à la fabrication des bombes. Enfin, il pourrait avoir participé politiquement en donnant son accord au largage des bombes sur Hiroshima et Nagasaki. Examinons ces points un à un.

L'uranium de la bombe d'Hiroshima

La bombe larguée sur Hiroshima est à l'uranium-235. L'uranium-235 de la bombe d'Hiroshima provient de l'usine d'enrichissement d'Oak Ridge au Tennessee. D'où l'uranium naturel qui entre dans l'usine d'enrichissement d'Oak Ridge provient-il ? Cela pourrait être du Canada, puisque la mine de Port Radium, dans les Territoires du

Nord-Ouest, appartenant à Eldorado Gold Mines, a été rouverte en 1942 à la suite des demandes américaines pour le projet Manhattan. À l'insu des gouvernements canadien et britannique, Eldorado a signé un contrat d'approvisionnement avec les Américains. Après extraction, le minerai d'uranium était raffiné à l'usine de Port Hope, sur les bords du lac Ontario, et l'uranium était exporté aux États-Unis pour être utilisé dans le cadre du projet Manhattan. Mais les besoins des Américains en uranium sont alors immenses et la production canadienne ne suffit pas. Des recherches historiques nous apprennent que l'uranium utilisé à Oak Ridge provient de deux sources, qui ne sont pas canadiennes. La majorité vient d'un stock d'uranium qui se trouve à New York depuis 1940, fourni par Edgar Sengier, homme d'affaires belge, président-directeur de l'Union minière du Haut-Katanga, qui possède en 1939 le plus grand stock d'uranium au monde. Il a fait livrer en secret aux États-Unis, dans un entrepôt de Staten Island, en décembre 1940, plus de 1 000 tonnes métriques de minerai d'uranium, de peur que cette ressource ne tombe aux mains des Allemands. Cet uranium provient de la mine de Shinkolobwe au Congo belge, l'actuelle République démocratique du Congo. Lorsque les États-Unis lancent le projet Manhattan, l'armée américaine achète la totalité du stock de Sengier[12]. C'est une partie de cet uranium qui est utilisée dans l'usine d'enrichissement d'Oak Ridge. Mais, avant d'être envoyé à Oak Ridge, l'uranium doit être préparé sous la forme d'UO_2, ou dioxyde d'uranium. Or, pendant la guerre, il n'existe pas beaucoup d'usines qui produisent

---

12. V. C. Jones, *Manhattan, the Army and the Atomic Bomb*, US Army Center of Military History, 1985, p. 6465.

de l'UO$_2$ à partir du minerai, et l'usine Eldorado de Port Hope en est une. Une partie du minerai provenant du Congo belge serait passée par Port Hope avant d'être transférée à Oak Ridge.

L'autre source d'uranium d'Oak Ridge est l'uranium récupéré par la mission Alsos en Europe. Alsos est le nom de code d'une opération concertée des services secrets américains pour découvrir les développements scientifiques militaires des Allemands et des Japonais pendant la guerre. Son principal objectif est la recherche atomique allemande. Lors de l'invasion de l'Allemagne par les troupes alliées dans les premiers mois de 1945, une mission commandée par le colonel Boris Pash, ancien agent de sécurité du projet Manhattan, localise le stock d'uranium des Allemands (environ 1 000 tonnes) à Stassfurt, dans la zone réservée à l'armée russe. Cet uranium se trouvait, au début de la guerre, en Belgique et provenait du Congo. Pash le récupère au nez et à la barbe des Soviétiques et le fait expédier en Angleterre puis aux États-Unis. Il semble donc que l'uranium canadien, bien qu'il ait été utilisé par le projet Manhattan dans divers réacteurs nucléaires, n'ait pas servi comme source pour la bombe d'Hiroshima. La participation canadienne se serait limitée à la préparation de dioxyde d'uranium provenant du Congo belge et destiné à l'usine d'enrichissement d'Oak Ridge.

L'eau lourde et le plutonium de la bombe de Nagasaki

L'eau lourde acquiert une importance capitale pendant la guerre, car elle peut être utilisée comme modérateur dans un réacteur nucléaire où, après l'absorption d'un neutron, l'uranium-238 se transforme en plutonium-239, qui est fissile et peut-être utilisé dans une bombe. Comme on l'a vu précédemment, les Américains ont participé à la construction d'une usine d'eau lourde à Trail en Colombie-Britannique et en ont acheté toute la production. L'eau lourde produite à Trail a été acheminée en train à Chicago où elle a servi dans des réacteurs expérimentaux[13] et non pas pour produire du plutonium.

Le plutonium utilisé dans la bombe larguée sur Nagasaki provient d'un réacteur construit à Hanford dans l'État de Washington, qui n'est pas un réacteur à l'eau lourde. Il s'agit plutôt d'un réacteur modéré au graphite, semblable à la première pile que Fermi avait réalisée sous les gradins du stade à Chicago. On ne se gêne pas dans les documents de présentation du site historique national de Hanford, créé par Obama en 2014, de mentionner que c'est bien là qu'a été produit le plutonium de la bombe de Nagasaki[14]. Il semble donc que l'eau lourde produite à Trail n'ait pas été utilisée dans les réacteurs où a été créé le plutonium de la bombe de Nagasaki.

Le polonium

On a vu qu'en novembre 1943 Bertrand Goldschmidt rapportait à Montréal une bonne quantité du polonium qu'il avait préparé à New York à la demande des Américains. Aussitôt récupéré par ces derniers, ce précieux polonium

---

13. «Manhattan District History Book III, The P-9 Project», US Army Corps of Engineer, 1947, p. 5.32, déclassifié en 2005, disponible au www.osti.gov, consulté le 18 juin 2020.

14. «The B Reactor National Historic Landmark», Manhattan Project National Historical Park, Hanford, Washington, disponible au manhattanprojectbreactor.hanford.gov, consulté le 18 juin 2020.

a été réexpédié à Los Alamos pour être utilisé dans les recherches sur la bombe. Le polonium est utilisé comme amorce dans les bombes au plutonium. Ce polonium est donc une contribution officielle du Laboratoire de Montréal au projet Manhattan. Comme les besoins en polonium dépassaient largement la quantité isolée par Goldschmidt et que le polonium a une demi-vie courte (138 jours), les Américains ont mis sur pied, fin 1943, un centre de recherche à Dayton, en Ohio, pour extraire du polonium des stocks d'uranium qu'ils possèdent[15]. À partir de 1944, on irradie du bismuth dans un réacteur nucléaire à Oak Ridge[16]. En absorbant un neutron, le bismuth-209 devient du bismuth-210, radioactif, qui se transforme en polonium-210 par décroissance bêta. C'est ce polonium qui a été utilisé comme amorce pour la bombe de Nagasaki. Le polonium transmis officiellement par le projet Tube Alloys au projet Manhattan a été utilisé pour la recherche à Los Alamos, mais n'a pas servi d'amorce dans la bombe de Nagasaki.

La conception et la fabrication des bombes

Une des différences majeures entre les projets Manhattan et Tube Alloys, c'est que le projet américain, à partir de l'été 1942, est sous la tutelle directe de l'armée, tandis que le projet anglo-canadien reste, malgré la guerre, sous

---

15. « Manhattan District History Book VIII, Los Alamos Project (Y) – Volume 3 Auxiliary Activities, Chapter 4, Dayton Project », *op. cit.*

16. A. S. Quist, *A History of Classified Activities at Oak Ridge National Laboratory*, Oak Ridge National Laboratory, US Department of Energy, 2000, p. 13.

une direction civile. C'est le général Groves qui dirige le projet Manhattan, secondé par le physicien Robert Oppenheimer. Au Canada, c'est le ministre de l'Armement et des Munitions, C. D. Howe, et le directeur du Conseil national de recherches du Canada, Chalmers J. Mackenzie, deux civils qui sont responsables du Laboratoire de Montréal. En raison de cette situation, et aussi du fait que le projet américain était beaucoup plus avancé que le canadien, il n'y a jamais eu à Montréal de tests ou de recherches orientés directement vers la conception ou la fabrication d'une bombe. Certains scientifiques britanniques ont participé à cette phase du projet Manhattan en étant directement prêtés au laboratoire de Los Alamos, par exemple Otto Frisch et Rudolf Peierls. Le rôle de Montréal était la production de matières (du plutonium) pour une éventuelle bombe, mais pas la conception ou la fabrication de la bombe elle-même. Les scientifiques et les ingénieurs canadiens qui ont travaillé au Laboratoire de Montréal n'ont donc pas participé à la conception des bombes d'Hiroshima et de Nagasaki.

Les décisions politiques

Le premier ministre Mackenzie King a participé au sommet de Québec où a été négociée une entente entre les Américains et les Britanniques sur les recherches atomiques. Bien qu'il fût l'hôte de la conférence, il a été mis à l'écart, par les Américains, des discussions sur les armes atomiques. Le Canada s'est engagé financièrement dans l'aventure par le biais du Laboratoire de Montréal, mais ses dirigeants n'ont pas eu leur mot à dire sur l'utilisation de la bombe. L'accord de Québec, qui stipule que les États-Unis et le Royaume-Uni n'utiliseront pas la bombe atomique «contre des tiers sans consentement de l'autre[17]», ne fait aucune mention du Canada. C'est seulement, semble-t-il, en passant que Mackenzie King a mentionné, le 26 juillet 1945, dans son journal personnel, «l'utilisation qui sera faite de la bombe atomique[18]», soit 11 jours avant Hiroshima. À aucun moment, le président américain ne lui a demandé son avis. Il est clair que le Canada n'a pas non plus participé directement à la décision politique de larguer les bombes atomiques sur les deux villes japonaises. Le Canada a, par contre, cautionné ces bombardements, comme l'a fait le gouvernement britannique de Churchill.

Cette brève analyse montre que le Canada n'a pas participé directement aux bombardements sur Hiroshima et Nagasaki, que ce soit par des ressources naturelles, intellectuelles ou politiques. Une autre façon de le dire, c'est que même si le Laboratoire de Montréal n'avait pas existé, les États-Unis auraient quand même largué les bombes sur Hiroshima et Nagasaki. Le Canada a par contre indirectement participé, par le biais de l'usine de préparation de dioxyde d'uranium de Port Hope, par ses connaissances dans la préparation du polonium et par son cautionnement politique.

---

17. «Agreement Governing Collaboration between the Authorities of the U.S.A and the U.K. in the matter of Tube Alloys», traduction de l'auteur; annexe 4 de M. Gowing, «Britain and Atomic Energy 1939-1945», *op. cit.*, p. 439.

18. «The Diaries of William Lyon Mackenzie King», Bibliothèque et Archives Canada, jeudi le 26 juillet 1945, p. 3, disponible sur www.bac-lac.gc.ca, consulté le 18 juin 2020.

Prolifération

Après la guerre, le gouvernement canadien prend la décision de ne pas poursuivre le développement d'une bombe nucléaire. Le Canada était alors le pays le plus avancé, derrière les États-Unis et le Royaume-Uni, dans le développement d'une bombe atomique, et aurait pu, en y mettant d'énormes ressources financières, parvenir à construire des bombes au plutonium. Le gouvernement a plutôt décidé de poursuivre le développement de l'énergie nucléaire pour fournir de l'électricité et des radio-isotopes dans le traitement des cancers.

Malgré cela, ça ne signifie pas que le Canada est blanc comme neige, si l'on peut dire, quand il s'agit des bombes nucléaires autres que celles d'Hiroshima et de Nagasaki. Après la guerre, le Canada ou des ingénieurs et scientifiques ayant travaillé au Laboratoire de Montréal ont participé au moins indirectement aux programmes nucléaires militaires des États-Unis, de l'Angleterre, de la France, de l'Inde et d'Israël. Après le démarrage du NRX, on met en service une usine de production de plutonium à Chalk River. Une partie de ce plutonium (environ 252 kg) est vendu, entre 1959 et 1964, aux États-Unis, qui l'intègrent dans le stock de plutonium destiné aux armes nucléaires[19].

En 1954, le Canada fournit à l'Inde une copie du NRX, le réacteur CIRUS, dont l'eau lourde est fournie

---

19. « Rôle historique du Canada dans le développement des armes nucléaires », Commission canadienne de sûreté nucléaire, 28 mai 2012, disponible sur nuclearsafety.gc.ca, consulté le 18 juin 2020.

par les États-Unis. L'accord avec l'Inde spécifie que le réacteur doit n'être utilisé qu'à des fins pacifiques. Malgré cela, en utilisant le combustible irradié dans CIRUS, l'Inde développe sa propre usine de production de plutonium et l'utilise en 1974 pour réaliser son premier test nucléaire, le mal nommé « Bouddha Souriant[20] ». Contrairement à une croyance largement répandue, ce n'est pas à partir des réacteurs CANDU, également vendus par le Canada, que le plutonium du programme militaire indien a été préparé, mais bien à partir d'une réplique du NRX.

Des scientifiques ayant travaillé au Laboratoire de Montréal ont également joué des rôles cruciaux dans le développement des bombes atomiques britanniques et françaises. Bertrand Goldschmidt, par exemple, a participé activement à la mise en place, en 1958, dans le plus grand secret, de l'usine de production de plutonium de Marcoule, à une trentaine de kilomètres d'Avignon, dans le sud de la France. C'est le plutonium produit à Marcoule qui sera utilisé dans « Gerboise bleue », la première bombe que les Français font exploser dans le Sahara, le 13 février 1960, en pleine guerre d'Algérie. De façon similaire, des chimistes et des physiciens ayant travaillé à Montréal ont participé à la construction de l'usine de plutonium de Windscale, matière utilisée dans la détonation de la première bombe nucléaire britannique, le 3 octobre 1952, dans un lagon des îles Montebello en Australie-Occidentale.

---

20. G. Perkovich, *India's Nuclear Bomb : The Impact on Global Proliferation*, University of California Press, 1999.

Ce qu'il reste du Laboratoire de Montréal

Après avoir abordé l'aspect militaire, il est désormais temps de se pencher sur l'héritage du Laboratoire de Montréal dans le domaine civil.

Les universitaires

Avant la guerre, les départements de physique des universités canadiennes comptent peu de scientifiques d'envergure internationale. Plusieurs dizaines de physiciens et de chimistes du Laboratoire de Montréal vont ainsi enrichir les départements de physique et de chimie partout au pays et à l'étranger. Comme on l'a vu, Pierre Demers a rejoint le Département de physique de l'Université de Montréal où il enseignera jusque dans les années 1980. George Volkoff, un physicien qui travaillait au Département de physique théorique où se trouvait Placzek à Montréal, est retourné à l'Université de Colombie-Britannique (UBC), où il a contribué au développement d'un des départements de physique les plus connus au pays, entre autres grâce à ses accélérateurs de particules[21].

Quelques-uns étaient déjà professeurs avant la guerre, mais l'expérience concrète acquise au Laboratoire de Montréal et les échanges que celui-ci a favorisés leur ont permis de s'insérer dans le circuit international de la recherche scientifique. Sans le Laboratoire de Montréal,

---

21. Patrick Bruskiewich. « George Volkoff and reactor physics in Canada », *Canadian Undergraduate Physics Journal*, vol. VI, n° 3, 2008, p. 18-22.

Le chimiste Fritz Paneth, à son départ de Montréal pour retourner enseigner à l'université de Durham en Angleterre en août 1945. À sa droite, Alma Chackett, à sa gauche, son fils Heinz Paneth. Kenneth Chackett, archives personnelles d'Alma Chackett.

les départements de physique et de chimie des universités canadiennes n'auraient jamais pu attirer un aussi grand nombre de professeurs de qualité au lendemain de la guerre. Plusieurs universités aux États-Unis et en France ont également bénéficié des chercheurs du Laboratoire de Montréal. Fritz Paneth, le directeur de la division de chimie, est retourné à l'université de Durham en Angleterre où il a géré le département de radiochimie.

Jeanne LeCaine-Agnew

Jeanne LeCaine-Agnew, une mathématicienne du Laboratoire de Montréal dont nous avons déjà parlé, a connu une grande carrière universitaire aux États-Unis. Après la guerre, son mari, Theodore Agnew, obtient son Ph. D. On lui offre un poste de professeur à l'Université d'État de l'Oklahoma en 1948. Jeanne ne peut obtenir de poste dans la même université en raison des règlements antinépotisme (c'est-à-dire que mari et femme ne peuvent travailler au même endroit), règlements qui ne sont toujours appliqués que contre les épouses. Mais, en 1953, deux circonstances lui viennent en aide : l'augmentation importante du nombre d'étudiants à l'université (par suite des bourses offertes par le gouvernement américain après la fin de la guerre de Corée) et la pénurie de professeurs. Le doyen du département de mathématiques affirme qu'il ne peut accepter qu'il y ait à Oklahoma City une personne ayant un Ph. D. en mathématiques de Harvard et qu'il ne puisse l'engager comme professeur. On offre enfin un poste à Jeanne. Elle enseignera aux étudiants de baccalauréat et en supervisera certains de la maîtrise et du doctorat, principalement sur la théorie des nombres, jusqu'à sa retraite en 1984.

Jeanne LeCaine, par son travail au Laboratoire de Montréal, possédait une plus grande expérience industrielle que la grande majorité des professeurs de mathématiques aux États-Unis. Elle a donc lancé un projet de contact entre les industries spatiale, nucléaire, minière et autres pour la résolution de problèmes mathématiques qui combinaient recherche et application. Avec Robert Knapp elle a écrit le manuel « Algèbre linéaire avec applications » qui est un des premiers de ce domaine à nécessiter le recours à l'ordinateur[22]. La professeure LeCaine a reçu de nombreuses récompenses, y compris l'*Outstanding Teacher Award* en 1964 et 1978. À sa retraite, à l'âge de 67 ans, elle a été nommée professeure émérite. Elle est décédée le 8 mai 2000 à 83 ans.

Les centres de recherche

La majorité des scientifiques du Laboratoire de Montréal continuent de travailler en recherche nucléaire soit à Chalk River, soit à Harwell en Angleterre ou au Commissariat à l'énergie atomique en France. Par exemple, Lew Kowarski, a vu sa carrière propulsée après son expérience à Montréal et à Chalk River. Il est revenu en Europe après la guerre et a travaillé pour le Commissariat à l'énergie atomique (CEA) dont Frédéric Joliot était le haut-commissaire. Kowarski a pris la tête du groupe qui a conçu et mis en marche en 1948 le premier réacteur nucléaire en France, Zoé, situé dans le fort de Châtillon au sud de Paris. C'est un projet très semblable au ZEEP. Kowarski a donc réalisé l'exploit de diriger la mise en service du premier réacteur nucléaire dans deux pays! Il a été secondé dans cette entreprise, entre autres, par Jules Guéron et Bertrand Goldschmidt, du Laboratoire de Montréal, ainsi que par Irène Curie. En 1952, Kowarski a quitté le CEA pour le Centre européen de recherches

---

22. Jeanne LeCaine-Agnew, Robert Knapp, *Linear Algebra with Applications*, 3e édition, Brooks/Cole Publishing Company, 1988.

Le comité scientifique du Commissariat à l'énergie atomique comptait dans ses rangs en 1946 trois anciens du Laboratoire de Montréal : Pierre Auger, Bertrand Goldschmidt et Lew Kowarski. Commissariat à l'énergie atomique.

nucléaires (CERN) où il est devenu directeur de la division des calculs. Sa première tâche a été de superviser la construction de laboratoires sur un site près de Genève qui chevauchait la frontière entre la France et la Suisse. Après son départ à la retraite du CERN, en 1972, Kowarski a enseigné à l'Université de Boston et est devenu conseiller des Nations Unies. Il est mort à Genève en 1979.

La suite du programme nucléaire canadien

Du côté canadien, après la mise en service du NRX en 1947, les chercheurs et ingénieurs de Chalk River ont participé à la conception, à la construction et à la mise en service d'un réacteur de recherche encore plus gros que le NRX, le NRU, en 1957. Ce réacteur est un phénomène en soi, puisqu'il a fonctionné pendant plus de 70 ans. De 1974 à 2016, il a produit la majorité du molybdène-99 mondial, l'isotope radioactif le plus utilisé pour les diagnostics médicaux. Le NRU a servi à un grand nombre de recherches, par exemple à l'enquête sur l'accident de la navette spatiale Challenger en 1986 : des composants d'acier des moteurs de la navette ont été irradiés dans le NRU ; leur analyse a montré qu'ils n'étaient pas en cause dans l'accident. Cela n'est qu'un exemple des recherches effectuées depuis plus de soixante-dix ans à Chalk River, véritable laboratoire national pour le Canada.

Grâce aux recherches entamées à Montréal, le programme nucléaire canadien connaît un important essor dans les années 1960. Le premier réacteur nucléaire produisant de l'électricité, le Nuclear Power Demonstrator, situé à Rolphton près de Chalk River en Ontario, est mis en service en 1962 ; c'est le premier réacteur CANDU (pour CANada Deuterium Uranium). Le deutérium est l'atome lourd d'hydrogène qui compose l'eau lourde (D_2O). L'utilisation de l'uranium naturel et de l'eau lourde par la filière canadienne de réacteurs nucléaires est un des legs du Laboratoire de Montréal. Cette filière permet au Canada d'éviter l'étape de l'enrichissement de l'uranium, mais oblige à recourir à des usines d'eau lourde. Il est très rare de trouver au Canada un secteur où l'ensemble de la chaîne est en sol domestique ce qui est le cas de l'industrie nucléaire. Le pays possède et exploite des mines d'uranium, des usines de transformation d'uranium, des centrales nucléaires, des réacteurs de production de radio-isotopes pour la médecine ainsi qu'un grand nombre de fournisseurs intermédiaires.

Le Laboratoire de Montréal, qui servait à l'origine un programme militaire, a finalement permis la création d'une industrie civile. Je sais pertinemment qu'il y a beaucoup de débats partout dans le monde, particulièrement après les accidents de Tchernobyl et de Fukushima, sur l'industrie nucléaire civile. Ce livre n'est pas écrit dans un but polémique pour soutenir ou pour dénoncer l'industrie nucléaire canadienne, mais plutôt pour raconter l'histoire surprenante et méconnue du Laboratoire de Montréal. J'espère avoir pu atteindre ce but.

Remerciements

De nombreuses personnes m'ont aidé dans mes recherches et la rédaction de ce livre. Je vais tenter de toutes les nommer ici.

Premièrement, je dois une immense dette à Sylvain Lumbroso, éditeur associé à Septentrion, qui m'a guidé, a revu entièrement le livre et a collaboré directement à plusieurs chapitres. Sans lui, mon projet d'écriture n'aurait probablement jamais abouti.

Je voudrais remercier spécialement Alma Chackett qui, à 102 ans, conserve une vivacité d'esprit étonnante. Son apport à ce livre est inestimable, spécialement les nombreuses photos d'époque. J'ai échangé de nombreux courriels avec sa fille Daphne MacDonagh, qui m'a beaucoup encouragé et a effectué plusieurs recherches en particulier sur les passagers des bateaux traversant l'Atlantique durant la guerre. L'autre sœur Chackett, Lesley Wareing, a lu et commenté une première version de ce livre.

Merci à Irène Kowarski, la fille de Lew Kowarski, probablement la dernière personne vivante qui se trouvait sur le SS Broompark en juin 1940, qui a généreusement commenté une version préliminaire et m'a fait parvenir une copie du film *La bataille de l'eau lourde*. Elle a également ment accepté d'être interviewée pour ce livre.

Merci à Philippe Halban, qui nous a fourni une copie du journal de bord de son père, Hans Halban, des photos d'époque et l'admirable carte postale d'Irène Joliot-Curie ; il a également été interviewé.

Merci à Christopher Cockcroft, le fils de John Cockcroft, qui m'a pointé vers le recueil de photos « Deep River 1945-1995 » et le livre *Cockcroft and the Atom*, qui m'ont été utiles dans la rédaction de plusieurs chapitres de mon livre, ainsi que pour les photos du Laboratoire de Montréal qu'il a précieusement conservées.

Un immense merci à Janet Morgan, la fille de Frank Morgan, qui m'a bien fait rire avec ses mots d'esprit et qui m'a encouragé à un moment crucial de la recherche. Elle a aussi commenté la partie du livre qui traite de son père.

Merci aussi à Emmanuel Cortadellas, un passionné d'histoire qui a servi de lecteur-témoin.

Les personnes suivantes ont relu et commenté les parties du livre concernant leur parent : Hugh LeCaine-Agnew (fils de Jeanne LeCaine-Agnew), Christopher Cockcroft, Thierry Leroux-Demers (fils de Pierre Demers) ainsi que Janet et Christopher Mitchell (enfants de Joseph Stanley Mitchell).

Les personnes suivantes m'ont aidé à identifier les employés de la division de chimie présents sur la photo de l'illustration de la page 113 : Alma Chackett, Daphne MacDonagh, Neila Shumaker (fille d'Albert English), Anne Hardy (fille de Geoffrey Wilkinson), Louise Grummitt (fille de Bill Grummitt), Toni Leicester (fille de Gerda Madgwick-Leicester), Janet Morgan, Christopher Vroom (fils d'Alan Vroom), Patricia Joan Chesney et Andrew Cook (enfants de Leslie Cook), Peter Martin (fils de Graham Martin), Mark Yaffe (fils de Leo Yaffe), Marg Loghrin (fille d'Allan Lloyd Thompson), Celia Steljes (fille d'Ethel Kerr), Maurice Guéron (fils de Jules Guéron), Julian Betts (fils de Robert Betts), Victoria Lister Carley (fille de Maurice Lister), Michael Ornstein (fils de Ruth Golfman), ainsi que Pauline and Peter Booker (enfants de Margaret Kingdon).

Sara Courant, une autre employée du Laboratoire de Montréal toujours vivante, m'a aidé dans l'identification de Anne Barbara Underhill sur la photo de la page 72.

Merci à Claire Cohalan qui a fait des commentaires pertinents, en particulier sur les isotopes médicaux.

Mon ami Raymond Leclaire est sans pareil pour débusquer les fautes, les contresens et les anglicismes dans un texte. Il a grandement contribué à rendre la lecture de ce texte plus fluide.

Je voudrais également remercier mon père, Georges Sabourin, un professeur de physique au Cégep Édouard-Montpetit, à la retraite depuis maintenant plus de 20 ans, qui m'a donné tout jeune le goût des sciences et qui a lu une version préliminaire de ce livre. Ma mère Liliane et mes fils Félix et Sylvestre m'ont aussi encouragé et donné des commentaires bienvenus.

Finalement, je voudrais remercier mon épouse, Claude Lefrançois, qui m'a soutenu dès le début dans ce projet et qui m'a patiemment écouté lire les nombreux courriels que j'ai échangés avec plusieurs personnes mentionnées ci-dessus. Sans elle, ce livre n'aurait jamais vu le jour.

S'il reste des affirmations erronées ou inexactes, elles sont évidemment de ma seule responsabilité.

Bibliographie

AINLEY, Marianne Gosztonyi, et Catherine MILLAR. « A Select Few : Women and the National Research Council of Canada, 1916-1991 », *Scientia Canadensis : revue canadienne d'histoire des sciences, des techniques et de la médecine*, vol. 15, n° 2 (41), 1991, p. 105-116.

ARCHIVES DE LA CANADIAN ARCHITECTURE COLLECTION. « Thomas E. Hodgson House (1892-1904) », cac.mcgill.ca, consulté le 31 octobre 2019.

ARCHIVES NATIONALES DU ROYAUME-UNI. « List of Staff ; National Research Council, Montreal Laboratory ; 1943-1944 », dossiers de la United Kingdom Atomic Energy Authority and its predecessors, dossier AB 1/126.

ARCHIVES NATIONALES DU ROYAUME-UNI. « Staff General "A" – T.A. Team ; 1945-1946 », dossiers de la United Kingdom Atomic Energy Authority and its predecessors, dossier AB 1/187.

ARCHIVES NATIONALES DU ROYAUME-UNI. « Organization of Engineering Division Chalk River and Montreal Laboratories – N.R.C. », dossiers de la United Kingdom Atomic Energy Authority and its predecessors, dossier AB 2/123, 1946.

ARCHIVES NATIONALES DU ROYAUME-UNI. « Hans Heinrich HALBAN : French ; 1944 Jan. 01 – 1955 Dec. 31 », Dossiers des Services de sécurité, dossier KV 2/2422.

ARCHIVES NATIONALES DU ROYAUME-UNI. « Friedrich Adolphus Paneth, 1940-1954 », Dossiers des Services de sécurité, dossier KV 2/2423.

BARRETTE, Roger. *De Gaulle, les 75 déclarations qui ont marqué le Québec*, Québec, Septentrion, 2019.

BEEVOR, Anthony. *The Second World War*, Londres, Weidenfeld & Nicolson, 2012 ; traduction française : *La Seconde Guerre mondiale*, Paris, Calmann-Lévy, 2012.

BERNSTEIN, Jeremy. « A memorandum that changed the world », *American Journal of Physics*, vol. 79, n° 440, 2011.

BOGART, Michelle, et Carol MEAD. « Archives Spotlight : The Jeanne Agnew Papers », *MAA Focus, Mathematical Association of America*, vol. 28, n° 6, août/septembre 2008, p. 22-24 (page consultée le 12 novembre 2015), [en ligne] www.maa.org

BOTHWELL, Robert. *Nucleus : The History of Atomic Energy of Canada Limited*, Toronto, University of Toronto Press, 1988.

BRUSKIEWICH, Patrick. « George Volkoff and reactor physics in Canada », *Canadian Undergraduate Physics Journal*, vol. VI, n° 3, 2008, p. 18-22.

BULLETIN OF THE ATOMIC SCIENTISTS. « A Report to the Secretary of War, June 1945 », vol. 1, n° 10, 1er mai 1946.

BRETSCHER, Egon, Anthony Philip FRENCH et Elsie Beatrice Mabel MARTIN. « Determination of the U-235 and U-238 fission cross section », *Rapport du laboratoire Cavendish B. R. 385*, archives du Centre Churchill de l'Université de Cambridge, CSAC 115.6.86, 1944.

BRODA, Paul. *Scientist Spies : A Memoir of my Three Parents and the Atomic Bomb*, Leicester, Matador, 2011.

BROWN, Andrew. *The Neutron and the Bomb : A Biography of Sir James Chadwick*, Oxford, Oxford University Press, 1997.

BRUSKIEWICH, Patrick. « George Volkoff and reactor physics in Canada », *Canadian Undergraduate Physics Journal*, vol. VI, n° 3, 2008, p. 18-22.

CANADIAN JEWISH HERITAGE NETWORK. « The Joseph and Wolff Family Collection » (page consultée le 20 septembre 2016) [en ligne] www.cjhn.ca.

CHACKETT, Kenneth Frederick, et Gladys Alma CHACKETT. « Report on the Analysis of Commercial Electrolytic Oxygen for Traces of Nitrogen », *Montreal Internal Chemistry Report, CI-122*, archives nationales du Royaume-Uni, référence AB 2/79, 1946.

CHACKETT, Gladys Alma, et Kenneth Frederick CHACKETT. « Methods of Estimating Fission Iodine in Irradiated Uranium Metal without Using Carrier », *Montreal Internal Chemistry Report, CI-124*, archives nationales du Royaume-Uni, référence AB 2/81, 1946.

CHURCHILL, Winston, et une équipe d'assistants. *The Second World War*, 6 volumes, Boston, Houghton Mifflin Harcourt, 1948-1953 ; traduction française : *Mémoires sur la Deuxième Guerre mondiale*, Paris, Plon, 1948-1954.

CLARKE, W. Brian, James H. CROCKETT, Ronald James GILLESPIE, H. Roy KROUSE, D. M. SHAW et Henry P. SCHWARCZ. « Henry George Thode, M. B. E. 10 September 1910 – 22 March 1997 », *Biographical Memoirs of Fellows of the Royal Society*, London, vol. 46, 2000, p. 500-514.

CLOSE, Frank. *Half Life : The Divided Life of Bruno Pontecorvo, Physicist or Spy*, New York, Basic Books, 2015.

COMMISSION CANADIENNE DE SÛRETÉ NUCLÉAIRE. « Rôle historique du Canada dans le développement des armes nucléaires », 28 mai 2012, disponible sur nuclearsafety. gc.ca, consulté le 18 juin 2020.

CONSEIL NATIONAL DE RECHERCHES DU CANADA. *War History of Division of Chemistry*, Ottawa, 1949.

DAHL, Per F. *Heavy Water and the Wartime Race for Nuclear Energy*, Institute of Physics Publishing, 1999.

DE GAULLE, Charles. *Mémoires de guerre*, 3 tomes, Paris, Plon, 1954-1959.

DRÉVILLE, Jean. *La bataille de l'eau lourde*, Le Trident et Héros Film, France-Norvège, 1948 [film], 96 minutes.

DREYFUS, Claudia. « Still Charting Memory Depths », *New York Times*, 20 mai 2013.

DUCKWORTH, Henry E. *One Version of the Facts; My Life in the Ivory Tower*, Winnipeg, University of Manitoba Press, 2000.

DUNWORTH, John Vernon, et Joseph Stanley MITCHELL. « Application of nuclear physics to medicine and biology », *Health Division Internal Reports, HI-13*, archives nationales du Royaume-Uni, référence AB 2/88, 1945.

DURHAM UNIVERSITY. « Graham Martin's Research Group », page consultée le 20 septembre 2016 [en ligne], chemistry-alumni.dur.ac.uk.

DUROCHER, René, Paul-André LINTEAU et Jean-Claude ROBERT. *Histoire du Québec contemporain, volume 1; De la Confédération à la crise (1867-1929)*, Montréal, Boréal, 1989.

DUROCHER, René, François RICARD, Paul-André LINTEAU et Jean-Claude ROBERT. *Histoire du Québec contemporain, volume 2; Le Québec depuis 1930*, Montréal, Boréal, 1989.

DYSON, Freeman. « Nicholas Kemmer 7 December 1911 – 21 October 1998 », *Biographical Memoirs of Fellows of the Royal Society*, vol. 57, 2011, p. 189-204.

EGGLESTON, Wilfrid. *Canada's Nuclear Story*, Toronto, Clarke, Irwin and Company, 1965.

EMELÉUS, Harry Julius. « Friedrich Adolf Paneth 1887 – 1958 », *Biographical Memoirs of Fellows of the Royal Society*, vol. 6, 1960, p. 226-246.

ENGLISH, Albert C., Thomas E. CRANSHAW, Pierre DEMERS, John A. HARVEY, Edward P. HINCKS, John V. JELLEY et Alan NUNN MAY. « The (4n+1) Radioactive Series », *Physical Review*, vol. 72, n° 253, 1947, p. 253-254.

FEDORUK, Sylvia. « The Growth of Nuclear Medicine », compte rendu de la 29ᵉ conférence annuelle de l'Association nucléaire canadienne et de la 10ᵉ conférence annuelle de la Société nucléaire canadienne, 1989, p. 3.

FERMI, Laura. *Atoms in the Family. My Life with Enrico Fermi*, Chicago, University of Chicago Press, 1954.

FREEMAN, Kerin. *The Civilian Bomb Disposing Earl*, Pen and Sword Books, 2015.

GAGNON-GUIMOND, Renée. « Leurs majestés au Québec. La visite royale de 1939 », dans *Cap-aux-Diamants*, vol. 5, nº 4, hiver 1990, p. 26.

GASS, Henry. « Montreal in the age of the atom », dans *The McGill Daily*, 11 novembre 2010.

GREEN, Malcolm Leslie Hodder, et William GRIFFITH. « Sir Geoffrey Wilkinson 14 July 1921 – 26 September 1996 », *Biographical Memoirs of Fellows of the Royal Society*, vol. 46, 2000, p. 594-606.

GOLDSCHMIDT, Bertrand. *Pionniers de l'atome*, Paris, Stock, 1987.

GOLDSCHMIDT, Bertrand. « How it All Began in Canada – The Role of the French Scientists », compte rendu du Symposium spécial : la revue de 50 ans de fission nucléaire, Société nucléaire canadienne, 1989.

GOLDSTEIN, Max, Muriel WALES et Arthur LODGE. « Fast fissions in tubes : A numerical supplement to MT-199 », *Montreal Theory Report, MT-242*, archives nationales du Royaume-Uni, référence AB 2/559, 1946.

GOWING, Margaret. *Britain and Atomic Energy 1939-1945*, Toronto, The Macmillan Company of Canada Limited, 1964.

HARRIS, Eiran. Entrevues avec Annette Wolff. Archives juives canadiennes Alex Dworkin, Montréal, 1999, [cassettes audio : cassette SC 1631, enregistrée le 30 juillet 1999 et cassette SC 1632, enregistrée le 6 août 1999], 60 minutes chacune.

HARTCUP, Guy, et Thomas Edward ALLIBONE. *Cockcroft and the Atom*, Boca Raton, CRC Press, 1984.

HAUKELID, Knut. *Skis Against the Atom: The Exciting, First Hand Account of Heroism and Daring Sabotage During Nazi Occupation of Norway*, Minot, North American Heritage Press, 1989.

HAYTER, Charles. «Tarnished Adornment: The Troubled History of Québec's Institut du Radium», *Bulletin canadien d'histoire de la médecine*, vol. 20, 2003, p. 343-365.

HOFFMAN, Darleane C., Albert GHIORSO et Glenn T. SEABORG. *Transuranium People, The Inside Story*, Londres, Imperial College Press, 2000.

HOWES, Ruth H., et Caroline C. HERZENBERG. *Their Day in the Sun: Women of the Manhattan Project*, Philadelphie, Temple University Press, 2003.

HURST, Donald Geoffrcy. *Canada Enters the Nuclear Age*, Montréal, McGill-Queen's University Press, 1997.

JELLEY, Nick, Arthur B. MCDONALD et R. G. Hamish ROBERTSON. «The Sudbury Neutrino Observatory», *Annual Review of Nuclear and Particle Science*, vol. 59, 2009, p. 431-465.

JONES, V. C. *Manhattan, the Army and the Atomic Bomb*, Washington, US Army Center of Military History, 1985.

JUNGK, Robert. *Brighter than a Thousand Suns*, Harcourt Brace, 1958, p. 108.

KALBFLEISCH, John. «Wartime blackout drill caught Montreal off guard», *Montreal Gazette*, 13 octobre 1943.

KENWORTHY, J. M., T. P. BURT et N. J. COX. «Durham University Observatory and its meteorological record», *Weather*, vol. 62, n° 10, Royal Meteorological Society, octobre 2007.

KNIGHT, Amy. *How the Cold War Began: The Gouzenko Affair and the Hunt for Soviet Spies*, Toronto, McLelland and Stewart, 2005.

KOWARSKI, Lew. « Reflections on the Meaning of a Canadian "First" », *La Physique au Canada*, vol. 32, n° 1, 1976, p. 4-6.

LAURENCE, George Craig. *The Montreal Laboratory*, conférence présentée au dîner annuel de l'Association canadienne des physiciens, Sherbrooke, 10 juin 1966.

LAURENCE, George Craig. « ZEEP – Canada's First Nuclear Reactor », *La Physique au Canada*, vol. 32, n° 1, 1976, p. 6-7.

LAURENCE, George Craig. *Le début de la recherche nucléaire au Canada*, Ottawa, Énergie atomique du Canada limitée, 1991.

LECAINE, Jeanne. « Critical Radius of a Strongly Multiplying Sphere Surrounded by a Non-Multiplying Infinite Medium », *Montreal Theory Report, MT-29*, archives nationales du Royaume-Uni, référence AB 2/508, 1944.

LECAINE, Jeanne. « A Table of Integrals Involving $En(x)$ », *Montreal Theory Report, MT-131*, archives nationales du Royaume-Uni, référence AB 2/536, 1945.

LECAINE, Jeanne. « Milne's problem with capture, II », *Montreal Theory Report, MT-119*, archives nationales du Royaume-Uni, référence AB 2/534, 1945.

LECAINE-AGNEW, Jeanne, et Robert C. KNAPP. *Linear Algebra with Applications*, 3ᵉ édition, Salt Lake City, Brooks/Cole Publishing Company, 1988.

LE TOURNEUX, Jean. « Rasetti à Laval », *La Physique au Canada*, mars/avril 2000, p. 103-107.

LINTEAU, Paul-André. *Histoire de Montréal depuis la Confédération*, 2ᵉ édition, Montréal, Boréal, 2000.

MANHATTAN PROJECT NATIONAL HISTORIC LANDMARK. « The B Reactor National Historic Landmark », Hanford, Washington, disponible au manhattanprojectbreactor.hanford.gov, consulté le 18 juin 2020.

MANN, Anthony. *The Heroes of Telemark*, Benton Film Productions, Royaume-Uni, 1965 [film], 131 minutes.

MARTIN, Roy. *The Suffolk Golding Mission*, Southampton, Roy Martin & Lyle Craigie-Halckett, 2014.

MEADOWCROFT, Pat. AECL Staff Hotels – List of Former Residents, révision 21, août 2008, (page consultée le 11 mai 2017) [en ligne] bright-ideas-software.com.

MELFI, Theodore. *The Hidden Figures*, Fox 2000 Pictures, 2016, traduction française: *Les femmes de l'ombre* [film], 127 minutes.

MELVIN, Joan. *Deep River 1945-1995*, Deep River, Jomel Publications, 1995.

MILNER, Peter Marshall. « Peter M. Milner, Society for Neuroscience », (page consultée le 20 septembre 2016) [en ligne] www.sfn.org.

MINISTÈRE DE LA DÉFENSE DU CANADA. « Early Defence Atomic Research in Canada », *Rapport CRAD 4/79*, Ottawa, gouvernement du Canada, 1979.

MINISTÈRE DE LA RECONSTRUCTION DU CANADA. « Canada's Role in Atomic Bomb Drama », communiqué de presse, gouvernement du Canada, 13 août 1945.

MINISTÈRE DES ANCIENS COMBATTANTS DU CANADA. *La bataille du golfe du Saint-Laurent*, Ottawa, gouvernement du Canada, 2005.

MITCHELL, Joseph Stanley. « Provisional calculation of the tolerance dose of thermal neutrons », *Health Division Internal Reports, HI-14*, archives nationales du Royaume-Uni, référence AB 2/204, 1945.

MITCHELL, Joseph Stanley. « Applications of recent advances in nuclear physics to medicine », *Health Division Internal Reports, HI-15*, archives nationales du Royaume-Uni, référence AB 2/205, 1945.

MITCHELL, Joseph Stanley. « Memorandum on some aspects of the biological action of radiations, with especial reference to tolerance problems », *Health Division Internal Reports, HI-17*, archives nationales du Royaume-Uni, référence AB 2/207, 1945.

MONTRÉAL-MATIN. « 60 savants étrangers viennent s'établir à l'Université de Montréal pour poursuivre des recherches extrêmement importantes », 8 janvier 1943.

MUSÉE CANADIEN DE LA GUERRE. « La vie sur le front intérieur : Montréal, ville québécoise en guerre », Ottawa, www.museedelaguerre.ca, page consultée le 4 novembre 2019.

NÉMIROVSKY, Irène. *Suite française*, Paris, Éditions Denoël, 2004.

NUNN MAY, Alan. « Proposed use of a polymer pile at very small powers for the investigation of critical dimensions », *PD-97*, archives nationales du R.-U., AB 2/653, 1944.

OLIPHANT, Marcus Laurence Elwin, Bernard Bruno KINSEY et Ernest RUTHERFORD. « The Transmutation of Lithium by Protons and by Ions of the Heavy Isotope of Hydrogen », *Proceedings of the Royal Society of London. Series A, Containing Papers of a Mathematical and Physical Character*, Londres, vol. 141, n° 845, 1933, p. 722-733.

OUELLETTE, Danielle. *Franco Rasetti, physicien et naturaliste (il a dit non à la bombe)*, Montréal, Guérin, 2000.

PAIS, Abraham. « Niels Bohr's Times », *Physics, Philosophy and Polity*, Oxford, Clarendon Press, 1991.

PALAYRET, Jean-Marie. Entrevue avec Pierre Auger, Institut universitaire européen, Archives historiques de l'Union européenne, 12 octobre 1992 (page consultée le 25 mai 2017) [en ligne] archives.eui.eu.

PARR, Joy (sous la dir. de). *Still Running : Personnal stories by Queen's women celebrating the fiftieth anniversary of the Marty Scholarship*, Kingston, Queen's University Press, 1987.

PERKOVICH, G. *India's Nuclear Bomb: The Impact on Global Proliferation*, Berkeley et Los Angeles, University of California Press, 1999.

PINAULT, Michel. *Frédéric Joliot-Curie*, Odile Jacob, 2000, p. 164-166.

PLACZEK, Georg, et Gertrude BLANCH. « The functions of En(x) », *Montreal Theory Report, MT-1*, archives nationales du Royaume-Uni, référence AB 2/496A, 1943.

QUIST, A. S. *A History of Classified Activities at Oak Ridge National Laboratory*, Oak Ridge National Laboratory, US Department of Energy, 2000.

REMARQUE, Erich Maria. *Im Westen nichts Neues, Ullstein*, Berlin, 1929, traduction française : *À l'ouest rien de nouveau*, Le Livre de Poche, Paris, 1973.

RHODES, Richard. *The Making of the Atomic Bomb*, Cambridge, Cambridge University Press, 1986.

RICARD-CHÂTELAIN, B. « Quand l'histoire s'est écrite à Québec », *Le Soleil*, 17 août 2013.

ROMAN, Nancy Grace. « Anne Barbara Underhill (1920-2003), American Astronomical Society », 2003 (page consultée le 12 novembre 2015) [en ligne] aas.org.

SCHROCK, Virgil E., Wilbur H. SOMERTON et Robert L. WIEGEL. Alan D. K. LAIRD. « Mechanical Engineering : Berkeley » (page consultée le 12 novembre 2015) [en ligne] texts.cdlib.org.

SEABORG, Glenn T. *Journal, 1946-1958*, Berkeley, Lawrence Berkeley University Laboratory, University of California, 1990-1991.

SPIERS, Frederick William. « William Valentine Mayneord 14 February 1902 – 10 August 1988 », *Biographical Memoirs of Fellows of the Royal Society*, London, vol. 37, 1991, p. 342-364.

SPINKS, John William Tranter. « Contamination in the active laboratories, Montreal Internal Chemistry Report », *CI-73*, archives nationales du Royaume-Uni, référence AB 2/45 ; 1944.

SPINKS, John William Tranter. *Two Blades of Grass: An Autobiography*, Saskatoon, Western Producer Prairie Books, 1980.

SUCCESSION PIERRE DEMERS. « Pierre Demers (1914-2017) » (page consultée le 15 avril 2017) [en ligne] centenairepierredemers.com

TASCHEREAU, Robert, et Robert L. KELLOCK. « The report of the Royal Commission Appointed under Order in Council P.C. 411 of February 5, 1946 to Investigate the Facts Relating to and the Circumstances Surrounding the Communication, by Public Officials and Other Persons in Positions of Trust of Secret and Confidential Information to Agents of a Foreign Power », gouvernement du Canada, 1946.

TAYLOR, Hugh P., et Robert N. CLAYTON. « Samuel Epstein 1919-2001 », Biographical Memoir, National Academy of Sciences, Washington, 2008.

UNDERHILL, Anne Barbara. *The Early Type Stars*, Dordrecht, D. Reidel Publishing Company, 1966.

UNITED STATES ARMY CORPS OF ENGINEER. « Manhattan District History Book III, The P-9 Project », 1947, déclassifié en 2005, disponible au www.osti.gov, consulté le 18 juin 2020.

UNITED STATES ARMY CORPS OF ENGINEER. « Manhattan District History Book VIII, Los Alamos Project (Y) – Volume 3 Auxiliary Activities, Chapter 4, Dayton Project », 1948, déclassifié en 2013, disponible au www.osti.gov, consulté le 18 juin 2020.

UNITED STATES DEPARTMENT OF ENERGY. *Human Radiation Experiments: ACHRE Report*. Chapitre 5 : « The Manhattan district Experiments ; the first injection, Superintendent of Documents », Washington, U.S. Government Printing Office, 1998.

UNIVERSITY OF BIRMINGHAM. « The Nuffield Cyclotron at Birmingham » (page consultée le 20 septembre 2016) [en ligne] www.np.ph.bham.ac.uk.

UNIVERSITY OF BRITISH COLUMBIA ARCHIVES. « Governor-General's Medal Awarded to Penticton Girl », The Province, 14 mai 1941 (page consultée le 12 novembre 2015) [en ligne] www.library.ubc.ca.

VERZUH, Ron. « Blaylock's Bomb : How a Small BC City Helped Create the World's First Weapon of Mass Destruction », *BC Studies*, n° 186, été 2015, p. 95-124.

VILLE DE MONTRÉAL. « Edgard Gariépy » (page consultée le 15 avril 2017) [en ligne], www2.ville.montreal.qc.ca.

VOLKOFF, George, et Jeanne LECAINE, « Application of "Synthetic" Kernels to the Study of Critical Conditions in a Multiplying Sphere with an Infinite Reflector », *Montreal Theory Report, MT-30*, archives nationales du Royaume-Uni, référence AB 2/509, 1944.

VON HALBAN, Hans, Frédéric JOLIOT et Lew KOWARSKI. « Liberations of Neutrons in the Nuclear Explosion of Uranium », *Nature*, vol. 143, 1939, p. 470-471.

WALESONLINE. « Kenneth Chackett Obituary » (page consultée le 20 septembre 2016) [en ligne] www.family-announcements.co.uk.

WALLACE, Philip Russell, et Jeanne LECAINE. « Elementary Approximation in the Theory of Neutron Diffusion », *Montreal Theory Report, MT-12*, archives nationales du Royaume-Uni, référence AB 2/499, 1943.

WALLACE, Philip Russell. « Atomic Energy in Canada : Personal Recollections of the Wartime Years », *La Physique au Canada*, mars/avril 2000, p. 123-131.

WALLERSTEIN, Alex. « Would the atomic bomb have been used against Germany ? », blog.nuclearsecrecy.com, consulté le 18 juin 2020.

WATSON, Peter. *Fallout. Conspiracy, Cover-Up, and the Deceitful Case for the Atom Bomb. Public Affairs*, New York, Hachette, 2018.

WEART, Spencer. *Scientists in Power*, Cambridge, Harvard University Press, 1979 ; traduction française : *La grande aventure des atomistes français*, Paris, Fayard, 1980.

WERNER, M. M., David K. MYERS et D. P. MORRISON. « Follow-Up of CRNL Employees Involved in the NRX Reactor Clean-Up », *Rapport AECL-7760*, Énergie atomique du Canada, Ottawa, 1982.

WHITEHEAD, M. A. « A Brief Survey of Science and Scientists at McGill », *Fontanus Monograph Series n° IX*, Montréal, Université McGill, 1996, p. 105-113.

WIENER, Charles. « Entrevue avec Lew Kowarski. Niels Bohr Library and Archives, American Institute of Physics » (page consultée le 15 mai 2017) [en ligne] www.aip.org.

WILLIAMS, Rudolph, et Michael MAURICE. « The Development of Nuclear Reactor Theory in the Montreal Laboratory of the National Research Council of Canada (Division of Atomic Energy) 1943-1946 », *Progress in Nuclear Energy*, vol. 36, n° 3, 2000, p. 239-322.

Table des matières

CET OUVRAGE EST COMPOSÉ EN GARAMOND PRO 11,5
SELON UNE MAQUETTE DE PIERRE-LOUIS CAUCHON
ET ACHEVÉ D'IMPRIMER EN SEPTEMBRE 2020
SUR LES PRESSES DE L'IMPRIMERIE MARQUIS
AU QUÉBEC
POUR LE COMPTE DE GILLES HERMAN
ÉDITEUR À L'ENSEIGNE DU SEPTENTRION